Na Solais anns a' Bhàgh

Seònaid NicNèill

Mairead Moireasdan

COMUNN NA GÀIDHLIG

acair

Air fhoillseachadh ann an Alba ann an 1990 le Acair,
7 Sràid Sheumais, Steòrnabhagh, Leòdhas, agus
Comunn na Gàidhlig

Chuidich an Comann Leabhraichean
am foillsichear le cosgaisean an leabhair seo.

Deilbhte agus dèanta le Acair Earranta
Clò-bhuailte le Highland Printers, Inbhir Nis

ISBN 0 86152 827 1

CLAR-INNSE

1. NA LAITHEAN-SAORA

An uair a bhuail an clag aig leth uair an dèidh meadhan latha b' e Seòras a bh' air a dhòigh. Cha bhitheadh e a' tilleadh dhan sgoil seo tuilleadh. An uair a bhitheadh na làithean-saora seachad bhitheadh e a' dol dhan àrd-sgoil ann an Steòrnabhagh a bha mu fhichead mìle air falbh. Ach ron sin, bha faisg air seachd seachdainean de làithean-saora ann.

Choisich e a-mach air geata na sgoile agus an àite tionndadh suas an rathad dhachaigh 's ann a thionndaidh e sìos chun a' chidhe. Cha robh e air fichead ceum a thoirt an uair a chuala e guth ag èigheach as a dhèidh, "A Sheòrais, càit a bheil thu a' dol?"

Dh'aithnich e an guth. B' e Catrìona a phiuthar a bh' ann. Bha Catrìona deich

bliadhna a dh'aois — dà bhliadhna na b' òige
na Seòras. Thionndaidh e agus chunnaic e i
a' ruith sìos far an robh e. Dh'fhuirich e
rithe.

"Tha mi a' dol sìos chun a' chidhe,"
fhreagair Seòras.

"Am faod mise a dhol còmhla riut?"
dh'fhaighnich Catrìona.

"Faodaidh ma thogras tu," fhreagair Seòras.

Choisich iad sìos an rathad còmhla.
B' e latha brèagha samhraidh a bh' ann agus
bha a' ghrian a' dèarrsadh agus cha robh
sgòth anns an adhar.

"Tha mi an dòchas gum bi a h-uile latha
cho math ris an-diugh fhad 's a bhitheas na
holidays againn," thuirt Catrìona ris.

"Ist, oinsich," thuirt Seòras. "Am faca tu
riamh làithean-saora nuair nach bitheadh
tuil uisge ann agus sinn a' cluiche am broinn
an taighe no anns a' bhàthach?"

Bha i sàmhach airson greiseag mus tuirt
i, "Ta, 's dòcha gum bi am bliadhna
eadar-dhealaichte."

"'S dòcha," fhreagair Seòras, oir cha robh e
airson an còrr a ràdh air a' chuspair. Bha e
cho toilichte an-diugh. Cha robh e na
bhalach beag tuilleadh. An dèidh seo
bhitheadh e a' dol dhan àrd-sgoil còmhla ri na
balaich mhòra eile. Bha Donaidh, balach a

6

bha a' fuireach an ath dhoras dhaibh ach aon, air a dhol dhan àrd-sgoil an-uiridh agus bha Seòras a' cluinntinn mòran sgeulachdan aige mun sgoil, na tidsearan, na sgoilearan agus a' hostel. 'S e a bhitheadh math a' dol dhan àrd-sgoil.

"Bithidh Donaidh a' tighinn air a' bhus a-nochd," arsa Seòras.

"Cha bhi," thuirt Catrìona. "Thuirt Eilidh riumsa gu robh i a' dol a Steòrnabhagh còmhla ri a h-athair 's a màthair agus gum bitheadh Donaidh a' tilleadh còmhla riutha anns a' chàr."

"Bha mi a' smaoineachadh gu robh e caran neònach nach robh i còmhla riut," arsa Seòras.

B' e Eilidh piuthar bheag Dhonaidh a bha air a' chlas os cionn Catrìona, ach bha an dithis aca an còmhnaidh a' dol timcheall còmhla, mar a bha Donaidh agus Seòras nuair a bhitheadh Donaidh aig an taigh.

"O mo chreach, cha do chuimhnich mi gu robh Mamaidh gar h-iarraidh dhachaigh anns a' bhad as dèidh na sgoile airson ar rumannan a sgioblachadh agus ar seann aodach a tha ro bheag dhuinn a chur a-mach," arsa Catrìona.

"Thalla thusa, ma-tha. Tha mise a' dol a ruighinn bùth Mhurchaidh a dh'iarraidh cana

coke. Tha fìor phathadh orm," arsa Seòras.
"A bheil airgead gu leòr agad airson fear
dhòmhsa?" dh'fhaighnich Catrìona dha.
"Tha, cha chreid mi nach eil. Uill, greas ort,
ma-tha, no bithidh ar creach thugainn."

Fhuair iad an coke agus rinn iad an
slighe dhachaigh, taingeil air deoch fhuar
mus do thòisich iad a' dìreadh a' chnuic
a-rithist.

B' e baile beag brèagha a bh' anns
a' Chreagan. Bha taigh-òsda ann, bùth bìdh
agus Oifis a' Phuist. Bhitheadh mòran
luchd-turais a' tadhal ann san t-samhradh,
oir bha tràigh mhòr bhrèagha ann cuideachd.
Bha bun-sgoil ann cuideachd anns an robh
mu dhà fhichead sgoilear. Bhitheadh
feadhainn de na sgoilearan a' tighinn à
bailtean a bha suas ri deich mìle air falbh.

Nuair a ràinig Seòras agus Catrìona an
taigh ghabh iad am biadh agus an uairsin
thòisich am màthair a' toirt seachad nan
òrdugh.
"A Sheòrais, coimhead tro na dràthraichean
sin agus cuir an t-aodach a tha ro bheag dhut
dhan phoca sin. A Chatriona, sad
a-mach na toidhs a tha briste agus cuir an
fheadhainn nach eil thu ag iarraidh dhan
bhucas sin. An uairsin coimhead rid aodach
mar a tha Seòras a' dèanamh."

8

Mu dheireadh bha iad deiseil. Bha poca làn de dh'aodach aig Seòras agus fear eile aig Catrìona. Bha am màthair a' dol gan toirt gu Oxfam an ath thuras a bhitheadh i an Inbhir Nis.

"'S math gun do thog sinn taigh ùr no cha bhitheadh rùm agaibh gluasad leis na tha sibh a' cruinneachadh de stuth," ars am màthair a' tighinn a-steach a rùm Sheòrais.

"'S math," fhreagair e. "Cha robh na rumannan anns an t-seann taigh a leth uimhir ris an fheadhainn seo, agus bha mi fhèin agus Cailean anns an aon rùm anns an t-seann taigh."

"Tha sinn glè mhath," ars a mhàthair. "Thalla 's faic a bheil Catrìona gu bhith deiseil."

"A bheil thu deiseil?" arsa Seòras a' dol a-steach a rùm Chatriona.

"Tha, cha chreid mi nach eil sin glan sgiobalta gu leòr a-nis," fhreagair i. "Chan eil e fhathast ach trì uairean. Dè nì sinn?"

"An dùil an tèid Cailean chun na tràghad còmhla ruinn?" arsa Seòras.

"Bithidh sin math. Tha mi feumach air bogadh anns an t-sàl an dèidh siud. Càit a bheil e? An dùil dè tha e a' dèanamh?"

"O, tha mi a' creidsinn gu bheil e ag obair air a' chnap meirg a tha siud aige ris an can e càr. Cha chreid mi gun tèid siud a dhol gu sìorraidh agus ma thèid cha bu chaomh leam a bhith na bhroinn," fhreagair Seòras. "Thugainn ga lorg."

Bha dithis eile anns an teaghlach a bharrachd air Seòras agus Catrìona. Bha Cailean ochd deug agus dìreach air an sgoil fhàgail, agus bha e a-nis a' lorg obair. Bha Anna sia deug agus bha i fhathast anns an sgoil, ged a bha i ag obair fad an t-samhraidh anns an taigh-òsda anns a' bhaile.

Lorg iad Cailean ag obair air a' chàr agus bha e glè dheònach a dhol chun na tràghad còmhla riutha. Thug iad leotha Glen, an cù, agus 's ann acasan a bha an spòrs a' snàmh agus a' cluich le ball anns na tuinn agus an cù a' ruith a' bhuill.

Bha Seòras agus Catrìona glè sgìth an oidhche sin agus as dèidh na dìnneir shuidh iad a' coimhead an telebhisean. Cha deach Seòras fiù 's a choimhead air Donaidh agus dh'iarr am màthair orra falbh dhan leabaidh aig ochd uairean 's iad gus tuiteam nan cadal a' coimhead Coronation Street.

"Oidhche mhath, a Sheòrais," arsa Catrìona aig mullach na staidhre. "Tha na làithean-saora gu bhith math. 'S iomadh rud a nì sinn."

Cha do fhreagair Seòras.

Bha e a' bruadrachadh mu thràth air na

11

seachdainean fada a bha roimhe mus tilleadh
e air ais dhan sgoil.

2. NA CUILEANAN

Dhùisg Catrìona Seòras aig leth uair an dèidh ochd an ath mhadainn. "Siuthad, èirich. Tha do bhracaist air a' bhòrd. Greas ort," thuirt i.

Dh'fhosgail Seòras a shùilean agus chuimhnich e nach robh aige ri dhol dhan sgoil. Leum e a-mach às a leabaidh agus dh'fhosgail e na cùirtearan. Latha math eile. Dh'fhairich e fàileadh na hama a' tighinn suas an staidhre. Bha an t-acras air gun teagamh. Chuir e air a chuid aodaich agus ruith e sìos an staidhre.

"Seadh. Chan eil leisg sam bith ort ag èirigh an-diugh 's gun agad ri dhol dhan sgoil," ars a mhàthair. "B' fheàrr leam gum bitheadh tu cho èasgaidh ri seo ag èirigh a h-uile latha."

Cha duirt Seòras guth, oir cha robh e ag

iarraidh an còrr a ràdh. Ghabhadh e a
bhracaist agus an uairsin chuidicheadh e
athair airson greiseag mus gabhadh e cuairt
a-null a shealltainn air Donaidh.
Dh'fheumadh Catrìona beagan a dhèanamh
anns an taigh cuideachd.

An uair a ghabh iad am bracaist thuirt
athar Sheòrais ris, "Uill, 'ille, chan eil math
dhut a bhith nad shuidhe ann a-sin fad
an latha. Tha an fhaing ann am Pabaigh
a-màireach agus feumaidh sinn
deamhaisean, peant, pilichean 's an còrr
a chur air dòigh."

Lean Seòras athair a-mach dhan
bhàthach. Bha athair ag obair ann an oifis
ann an Steòrnabhagh ach bha e a' gabhail
seachdain de làithean-saora an-dràsda airson
na caoraich a rusgadh. B' e faing Phabaigh
an tè a b' fheàrr le Seòras. Bhitheadh iad
uile a' dol a-null ann am bàtaichean —
fireannaich, boireannaich, clann agus coin.
Fhad 's a bhitheadh na fireannaich a' trusadh
nan caorach bhitheadh na boireannaich
a' lasadh teine airson teatha agus bhitheadh
cead cluiche aig a' chloinn.

'S e eilean beag mu mhìle air fhad agus
mu mhìle tarsainn anns an àite a bu leatha a
bh' ann am Pabaigh. Bha cnoc àrd faisg air
a' cheann a tuath agus bha dà thràigh ann —

aon bheag anns a' cheann a deas faisg air
a' chidhe far am bitheadh iad a' dol air tìr
agus tràigh mhòr bhrèagha air an taobh an
iar. Bha creagan gu math àrd aig ceann a
tuath an eilein agus bhitheadh mòran dhe na
h-eòin mhara a' neadachadh a-sin.
B' àbhaist dha daoine a bhith a' fuireach air
an eilean agus bha tobhtaichean an t-seann
bhaile rim faicinn a-sin fhathast faisg air an
fhaing aig ceann a deas an eilein. Bha
mullach air aon dhiubh fhathast far am
bitheadh iad a' gabhail fasgadh nan tigeadh
uisge latha na fainge.

　　　Nuair a ràinig iad a' bhàthach thuirt
athair ris, "Tha thu air fear de na balaich
mhòra a-nis. Cha chreid mi nach bu chòir
dhut a dhol a thrusadh còmhla ruinn ann am
Pabaigh."
"Am faod? Bithidh sin math. Cò bhitheas
a' trusadh còmhla ruibh?" arsa Seòras gu
cabhagach.
"'S àbhaist dha Dòmhnall Iain a bhith còmhla
rium agus tha mi a' creidsinn gum bi
Donaidh ga chuideachadh am bliadhna,"
fhreagair athair.
"Donaidh cuideachd!" arsa Seòras. Stad e.
"Ach chan eil cù agamsa no aig Donaidh."
"Uill, thigibh còmhla ruinne agus thoiribh an
aire gu mionaideach air mar a tha sinne ag

15

obrachadh nan con. 'S dòcha gum faigh sinn cuilean dhut airson a thrèanadh agus bithidh cù math agad ann am bliadhna no dhà eile," ars athair agus fiamh a' ghàire air aodann.

"Mo chù fhèin. Am faod mi fhèin a thaghadh?" dh'fhaighnich Seòras. Cha b' urrainn dha seo a chreidsinn.

"Faodaidh, ach feumaidh mi fhèin dèanamh cinnteach gur ann bho stoc math a tha e agus gun dèan e feum mar chù-chaorach," fhreagair athair 's e a' gàireachdainn.

"Tha mise a' dol a dh'innse dha Donaidh," dh'èigh Seòras.

"Haoi. Gabh air do shocair. A bheil cuimhne agad carson a tha sinn a-seo?" dh'èigh athair ris 's e a' toirt baga à preasa anns an t-sabhal. "A-nis thoir na deamhaisean às a' bhaga sin."

Dh'fhosgail Seòras am baga agus thug e na deamhaisean a-mach 's chuir e air a' bhòrd iad. "Tha ceithir a-seo," ars esan.

"Tha sin ceart gu leòr," thuirt athair.

"Feumar an gleusadh. A bheil a' chlach ghleusaidh a-sin cuideachd?"

"Tha."

"Uill, sìn a-nall i fhèin agus na deamhaisean agus on tha thusa cho math air cunntadh, cunnt a-mach ceud dhe na pilichean sin agus ceud dhen fheadhainn gheala ud agus cuir

ann an dà chnagan iad," ars athair.

Bha Seòras greiseag a' cunntadh nam pilichean. An uair a bha e deiseil thionndaidh e gu athair agus thuirt e, "Sin na pilichean air an cunntadh a-nis. Am faod mi falbh?"

"Air do shocair, 'ille," fhreagair athair. "Coimhead dè na tha de pheant anns a' chana sin. Mur eil e letheach làn theirig sìos dhan gharaids agus gheibh thu fear eile air an sgeilp ri taobh an dorais."

Uill, cha robh peant gu leòr ann agus thàinig air Seòras a dhol dhan gharaids a dh'iarraidh tuilleadh. Nuair a thill e thuirt athair ris, "Siuthad, ma-tha. Dèan às a-null gu Donaidh. Tha fhios a'm gu bheil ceud fadachd ort do naidheachd innse dha."

Nuair a ràinig Seòras taigh Dhonaidh bha Catrìona agus Eilidh nan suidhe air an fheur air beulaibh an taighe.

"Càit a bheil Donaidh?" dh'fhaighnich Seòras dhaibh.

"Cha chreid mi nach eil e anns an t-sabhal còmhla ri m' athair," fhreagair Eilidh. "Nach ann ort a tha a' chabhaig."

Cha do fhreagair Seòras i. Ruith e timcheall ceann an taighe chun an t-sabhail. Bha Donaidh a-sin a' cuideachadh athar, a bha trang a' sàbhadh fiodh.

18

"Hallo," arsa Seòras. "Dè tha sibh a dèanamh?"

"Tha sinn a dèanamh geata ùr airson na fainge," thuirt Dòmhnall Iain, athair Dhonaidh. "Tha an geata a th' ann air tuiteam às a chèile agus tha cho math dhuinn a bhith cinnteach gun glèidh sinn na caoraich anns an fhaing as dèidh ar saothar gan trusadh."

"Tha m' athair ag ràdh gum bi mi fhèin agus Donaidh gar cuideachadh a' trusadh am bliadhna," arsa Seòras.

"Uill, tha mi a' creidsinn gu bheil e na àm agaibh ionnsachadh," thuirt Dòmhnall Iain.

"'S dòcha gun dèan sibh feum air choreigin."

"Ta, chan eil coin againn," arsa Donaidh.

"'S nam bitheadh cha dèanadh sibh feum leotha. Chan eil fhios aig duine seach duine agaibh ciamar a dh'obraicheadh sibh cù. Thoiribh an aire a-màireach dhan dòigh anns a bheil sinne gan obrachadh," fhreagair athair.

"Thuirt m' athair gu faodainn cuilean fhaighinn airson a thrèanadh," arsa Seòras.

"Am faod mise fear fhaighinn cuideachd?" dh'fhaighnich Donaidh anns a' bhad.

"Tha mi a' creidsinn," fhreagair athair.

"A-nis thoiribh an t-sitig oirbh latha math math mar seo. Chan eil mise gar h-iarraidh fo mo chasan an còrr den latha."

Dh'fhalbh na balaich a-mach agus
chaidh iad a-null far an robh Catrìona agus
Eilidh a dh'innse dhaibh an naidheachd.
"Uill, nach ann air na cuileanan a bhitheas
an trèanadh," arsa Eilidh an dèidh dha
Seòras an sgeulachd innse dhaibh. "Bithidh
dà chù-chaorach anns a' bhaile nach dèan
feum am bith."
"Bi modhail," arsa Donaidh ga putadh. "Cha
bhi dà chù cho math riutha air an taobh seo
den eilean."
"Thuirt Màiri Dhòmhnaill Alasdair air
a' chlas agamsa gu robh cuileanan aig a' chù
acasan," arsa Catrìona.
"Cuin?" ars an dà bhalach còmhla.
"O chionn ceala-deug a dh'innis i dhòmhsa,
ach chan eil fhios agam a bheil iad fhathast
ann," fhreagair i.
"Cha dèan e cron a dhol a dh'fhaighneachd,"
arsa Donaidh ri Seòras. "Thalla agus innis
dha d' athair gu bheil sinn a' dol a choimhead
air cuileanan. Chì mi thu aig an taigh agaibh
fhèin nuair a chì mi m' athair."

Lorg Seòras athair air cùl na bàthaich.
"Bha cuileanan aig cù Dhòmhnaill Alasdair,"
arsa Seòras ris."Tha mi fhèin agus Donaidh a'
dol a-null dh'fhaicinn a bheil gin air fhàgail."
"Glè mhath, ma-tha," ars athair. "'S àbhaist

dha coin mhath a bhith aig Dòmhnall
Alasdair, ach cuimhnich, feumaidh mise am
faicinn cuideachd mus tagh thu fear. Na bi
ro fhada a-nis. Bithidh do bhiadh deiseil aig
uair."

Bha taigh Dhòmhnaill Alasdair aig
ceann eile a' bhaile agus dh'fhalbh an dithis
bhalach a-null air am baidhsagalan. Bha iad
an dòchas gum bitheadh na cuileanan a-sin
fhathast. An coin fhèin. Nach iad a bha
a' fàs mòr.

Nuair a ràinig iad ceann a tuath
a' bhaile chunnaic iad Dòmhnall Alasdair ag
obair air an tractar aig an taigh.
"Chuala sinn gu robh cuileanan aig a' chù
agaibh," arsa Donaidh.
"Bha. An ann a' lorg feadhainn a bha sibh?"
dh'fhaighnich Dòmhnall Alasdair.

Dh'innis na balaich an sgeulachd dha 's
thuirt e, "Uill, tha còig ann ach tha Seonaidh
Mòr air fear a thaghadh mu thràth.
Thugainn a-steach dhan t-sabhal."

Lean na balaich a-steach e 's bha an cù
an sin anns an oisean agus na cuileanan
a' biogail timcheall oirre. Chaidh na balaich
a-null far an robh i.
"Dè an aois a tha iad?" dh'fhaighnich Seòras.
"Tha ceithir seachdainean," fhreagair
Dòmhnall Alasdair, "ach bithidh seachdain

no dhà eile mus faod sibh falbh leotha. Tha
iad ro òg fhathast airson an toirt air falbh
bhom màthair. Siud am fear a tha Seonaidh
Mòr ag iarraidh an siud."

Thog e cuilean beag dubh is geal agus sheall
e dha na balaich e.

"Siud an seòrsa a tha mise ag iarraidh," arsa
Seòras is e a' togail cuilean dubh is geal le
gruaidhean agus spògan ruadha.

"Seadh, Black and tan," arsa Dòmhnall
Alasdair. "Dè mu do dheidhinn-sa,
a Dhonaidh?"

"'S caomh leam am fear seo leis a' choilear
gheal 's na spògan geala," fhreagair e.

"Uill, gleidhidh mise dhuibh iad," arsa
Dòmhnall Alasdair.

"Am faod sinn cluiche leotha greiseag?"
dh'fhaighnich Seòras.

"Faodaidh. Faodaidh sibh a thighinn a
shealltainn orra a h-uile latha ma tha sibh ag
iarraidh," fhreagair Dòmhnall Alasdair.

Dh'fhàg e na balaich an sin 's iad cho
toilichte. Dh'fhuirich iad leth uair a thìde
eile mus deach iad dhachaigh gum biadh.

As dèidh na dìnneir thill iad còmhla ri
Iain, athair Sheòrais.

"Uill, cha chreid mi nach e coin mhath gu leòr
a bhitheas annta," arsa Iain ri Dòmhnall
Alasdair. "Chì sinn dè am feum a nì na

seòid leotha."

Rinn Dòmhnall Alasdair gàire agus thuirt e,
"Tha mi a' creidsinn gum feum iad
tòiseachadh uaireigin," 's e a' coimhead an
dithis a' cluiche ri na cuileanan.

Air an t-slighe dhachaigh thachair iad ri
Catrìona agus Eilidh aig Oifis a' Phuist 's
dh'innis iad dhaibh mar a thachair.

"Tha sin math," ars Eilidh. "Càit a bheil sibh
a' dol?"

"Cha chreid mi nach tèid sinn chun na
tràghad," fhreagair Donaidh.

"Fuirich ruinne," arsa Catrìona. "Tha againn
ri dhol a' bhùth Mhurchaidh a dh'iarraidh
rolaichean, feòil fhuar, tomatoes agus rudan
a nì sandwiches airson a-màireach. Thuirt
Mamaidh gum faodadh sinn ice cream
fhaighinn cuideachd. Dè an seòrsa a tha sibh
ag iarraidh?"

"Thig sinn a-steach agus chì sinn dè an
seòrsa a th' ann," thuirt Donaidh 's e a' cur
a bhaidhsagal an taca ris a' bhalla.

Fhuair iad na bha iad ag iarraidh anns
a' bhùth 's an uairsin choisich iad dhachaigh
leis a' bhiadh 's iad ag ithe an ice cream.

Chuir iad seachad an còrr den latha air
an tràigh agus a' snàmh anns a' mhuir. Bha
mòran dhaoine air an tràigh agus bha dà
yacht a-muigh anns a' bhàgh faisg air

23

Pabaigh. 'S iad a bha brèagha len siùil gheala. Shuidh a' chlann air an tràigh gan coimhead.

"Bu chaomh leam sail fhaighinn ann an tè dhiubh siud," arsa Donaidh. "Tha mi a' creidsinn gun siubhal iad gu math luath ma thig oiteag mhath gaoith'."

"Chan fhaigh mise no thusa an cothrom sin," arsa Seòras. "Chan aithne dhòmhsa no dhutsa duine a tha cho beartach 's gu bheil yacht aca."

Shuidh iad gan coimhead a' dol timcheall mu cheann a tuath Phabaigh mus do rinn iad an slighe dhachaigh.

Chaidh iad dhan leabaidh tràth an oidhche sin, oir bha aca ri èirigh aig leth uair an dèidh sia an ath mhadainn airson a dhol a-null a Phabaigh a rusgadh nan caorach.

3. LATHA NA FAINGE

B' e latha mòr a bha ann an latha na fainge ann am Pabaigh. Bha a h-uile duine anns a' bhaile air an cois tràth madainn Dihaoine. Bha aig na boireannaich ri sandwiches a dhèanamh agus biadh a chur air dòigh. Bha Catrìona agus Eilidh trang a' cuideachadh am màthraichean a' deasachadh bìdh. Bha Seòras agus Donaidh trang cuideachd a' dèanamh cinnteach gu robh a h-uile càil aca.

Mu leth uair an dèidh ochd bha a h-uile duine a bha a' dol chun na fainge aig a' chidhe, agus abair ùpraid agus othail le daoine a' bruidhinn, clann ag èigheach agus coin a' comhartaich. Bha dà bhàta bheag iasgaich gan toirt a-null agus bha Seonaidh Mòr ag èigheachd ris a' chloinn iad suidhe sìos mus deigheadh na coin mun casan 's gun tuiteadh iad a-mach air a cliathaich.

Nuair a bha a h-uile duine air bòrd sheòl
an dà bhàta. Bha Seòras, Donaidh, Catrìona
agus Eilidh anns a' chiad thè 's iad nan
suidhe na deireadh.

"Dè tha sibhse a' dol a dhèanamh fhad 's a
tha sinne a' trusadh?" arsa Seòras ris
a' chlann-nighean 's e a' faireachdainn cho
mòr às fhèin.

"Tha mi a' creidsinn gun cuidich sinn iad
a' cur rudan air dòigh airson biadh agus an
uairsin 's dòcha gun tèid sinn cuairt,"
fhreagair Catrìona.

"Feuchaibh nach tèid sibh ro na caoraich," ars
a h-athair. "Tha fhios a'm gu bheil mi ag
ràdh sin a h-uile bliadhna 's gu bheil sibh
a' toirt an aire nach dèan sibh sin, ach cha
dèan e cron a chur nar cuimhne a-rithist."

Rinn am bàta a slighe timcheall gu
ceann a deas Phabaigh far an robh an cidhe.
B' e àite math airson acarsaid a bh' ann —
bàgh a bha an ìre mhath cruinn le fosgladh
cumhang a-mach chun na mara. Chan
fhaiceadh iad an Creagan às a-seo, oir bha
rubha àrd, creagach air tìr-mòr ga chumail às
an t-sealladh.

Nuair a ràinig iad an eilean agus a
cheangal iad am bàta aig a' chidhe, leum na
balaich air tìr còmhla ri na fireannaich.

Thòisich Seonaidh Mòr ag innse dhaibh càit an trusadh iad.

"Iain 's a Dhòmhnaill Iain, theirigibh gu ceann a tuath an eilein mar as àbhaist agus dèanadh a h-uile duine eile an trusadh àbhaisteach ach thusa, a Mhurchaidh. O nach eil Dòmhnall Calum gu math, an dèan thusa an taobh siar còmhla rium fhèin agus Aonghas? Tha gu leòr dhaoine ann airson ceann a deas an eilein."

Dh'fhalbh a h-uile duine gun obair. Bha Seòras agus Donaidh air an dòigh 's iad a' leantainn nam fireannach, 's bata am fear aca mar a bh' aig na cìobairean eile.

"'S truagh nach robh coin againn a-nis agus dhèanadh sinn trusadh cho math ri duine aca," arsa Seòras ri Donaidh.

"Obh, obh," arsa Iain 's e a' tionndadh. "Tha an t-uabhas agaibh ri ionnsachadh mus tachair sin. A-nis thoiribh an aire dhan a h-uile càil a tha a' tachairt a-seo agus mar a tha na coin ag obrachadh."

Uill, nuair a ràinig iad ceann a tuath an eilein thòisich a' chìobaireachd 's abair gu robh na coin ag obrachadh gu math. Thàinig air na balaich beagan ruith a dhèanamh cuideachd a thilleadh caora no dhà a bha air briseadh air falbh bho chàch.

"Cha robh sibh a' smaoineachadh gur e

cuairt a bha gu bhith seo," arsa Dòmhnall Iain 's e a' leum sìos bruthach. "Ged a tha na coin a' dèanamh a' chuid as motha den obair, feumaidh sinne ar cnàmhan a ghluasad an-dràsda 's a-rithist cuideachd. Tha feadhainn de na caoraich den bheachd nach eil iad a' dol dhan fhaing idir."

Rinn na balaich gàire. Bha iad air a bhith a' toirt an aire dhan obair agus bha Iain ceart. Bha an t-uabhas aca ri ionnsachadh.

Beagan agus dà uair a thìde an dèidh dhaibh falbh bha iad air ais aig an fhaing leis na caoraich. Bha a' chuid bu motha de na caoraich anns an fhaing mu thràth 's cha b' fhada gus an robh caoraich a' chinn a tuath air an cròthadh cuideachd. Bha feadhainn de na caoraich fhathast a' feuchainn ri faighinn air falbh ach bha daoine gu leòr ann a-nis a thilleadh iad.

Chaidh Seòras agus Donaidh a-null gu geata na fainge far an robh Catrìona agus Eilidh.

"Ciamar a chaidh dhuibh?" dh'fhaighnich Eilidh.

"Math gu leòr," fhreagair Donaidh. "Dè rinn sibh fhèin?"

"Chaidh sinn cuairt sìos chun na tràghad agus bha sinn a' cuideachadh Mamaidh agus

na boireannaich eile a' cur biadh a-mach
airson na teatha. Chan fhada a-nis gus am bi
an teatha deiseil. A bheil an t-acras oirbh?"
ars Eilidh.

"Tha gu dearbh," fhreagair Seòras.

"Thugainn a-null."

Bha a h-uile duine air cruinneachadh
a-nis agus bha na boireannaich trang a cur
a-mach cupanan teatha. Shuidh a' chlann
sìos air creagan beag len teatha. Bha plaide
air an talamh agus bha a h-uile seòrsa
sandwich an sin air truinnsearan pàipeir.
Bha cèicean, pan-cèicean, sgonaichean, silidh
agus gruth is bàrr ann cuideachd.

"Abair picnic," arsa Catrìona. "Saoilidh
mi fhèin gu bheil am biadh tòrr nas blasda
nuair a tha sinn ga ithe a-muigh às an taigh
air latha math mar seo."

"Abair thus' e," arsa Donaidh. "'S tha tòir a
bharrachd càil agam dha cuideachd as dèidh
an trusaidh."

"Tha," arsa Seòras 's e a' toirt greim eile
à rola.

Bha e faisg air uair feasgar mus do
thòisich iad a' rùsgadh. B' e obair Sheòrais
agus Dhonaidh na h-uain a thoirt a-mach gun
athraichean agus bha Catrìona agus Eilidh
a' cur comharr orra le peant. Ach cha b' e sin
uile. Bha Seòras den bheachd gu robh e

làidir gu leòr airson caora a thoirt a-mach
airson a rùsgadh. A-steach leis dhan
fhaing-ghlacaidh, far an d'fhuair e greim air
beathach leis a' chomharr aca fhèin. Chuir e
cas air gach taobh de dh'amhaich
a' bheathaich 's shlaod e e chun a' gheata.
Dh'fhosgail Iain Beag — balach a bha air
a' chlas aige — an geata dha agus a-mach
leis.

Uill, cha bu luaithe a fhuair e a-mach
leis na thòisich am beathach a' buiceill 's
a' leum, agus cha robh de neart ann an
Seòras na chumadh e. Dh'fhalbh am
beathach na ruith agus Seòras air a dhruim 's
greim bàis aige air adhaircean. Stad a h-uile
duine anns an fhaing ga choimhead. Bha
Seòras bochd air druim a' mhuilt, a bha
a' ruith agus a' leum gus an do thilg e e mu
dheireadh. Gu fortanach 's ann air poca
clòimhe le Seonaidh Mòr a thuit Seòras 's cha
deach a ghoirteachadh. Mus d'fhuair e anail
air ais bha athair ri thaobh ga chuideachadh
gu chasan.
"A bheil thu air do ghoirteachadh?"
dh'fhaighnich e.

Nuair a chuala e nach robh thòisich e
a' trod. "Amadain gun chèill. Dè bha thu
a' dèanamh le trì-bhliadhnach muilt?
Dh'fhaodadh tu bhith air tuiteam air

deamhais agus a bhith air do dhroch leòn.
Bha am beathach ud fada ro mhòr agus ro
làidir air do shon."

"Fàg am balach," arsa Seonaidh Mòr. "Tha e
air eagal gu leòr a ghabhail agus cha chreid
mi gum feuch e air a-rithist gus am bi e nas
motha na tha e."

"Tha mi a' creidsinn gu bheil thu ceart gu leòr
an sin, a Sheonaidh," ars Iain. "Ta, bho nach
deach a ghoirteachadh tha mi a' creidsinn gu
robh an rud a rinn e gu math èibhinn,"
's thòisich e a' gàireachdainn mar a rinn a
h-uile duine a bha mun cuairt. "Siuthadaibh,
'illean, thallaibh ga ur cluiche fhèin. Tha
sibh air deagh obair-latha a dhèanamh."

Dh'fhalbh an ceathrar 's iad
a' gàireachdainn.

"O Sheòrais, 's fhada bho nach fhaca mi rud
cho èibhinn ri siud. Bha e coltach ri rud a
dhèanadh Frank Spencer ann an Some
Mothers Do 'Ave 'Em," ars Eilidh.

"Feuch gum bi sibh air ais a-seo aig ceithir
uairean no fàgaidh sinn a-seo sibh," dh'èigh
Dòmhnall Iain às an dèidh.

"Ceart," dh'èigh an ceathrar còmhla.

An dèidh dhà no trì mhionaidean thuirt
Donaidh, "Cha bhitheadh sin cho dona."

"Dè nach bitheadh cho dona?"
dh'fhaighnich Seòras.

"Tha a bhith air an eilean leinn fhèin,"
fhreagair Donaidh.
"Ist. Ciamar a gheibheadh sinn biadh agus
càit an caidileadh sinn?" ars Eilidh gu
h-iomagaineach.
"Na bi cho gòrach," fhreagair Donaidh. "'S
ann a bha mise a' smaoineachadh air a
thighinn air ais a-seo a champachadh airson
seachdain."

Stad an triùir eile cruaidh. An ceann
greiseag thuirt Catrìona, "Ta, cha leig iad
leinn sin a dhèanamh."
"Dè an fhios a th' agad gus am faighnich
sinn?" arsa Donaidh. "Thugainn agus thèid
sinn a dh'fhaicinn càit an cuir sinn an àirde
an teanta."

Bha an triùir eile air bhoil a-nis. Bha
iad uile a' smaoineachadh gum bitheadh e
math, ach mura leigeadh am pàrantan leotha
sin a dhèanamh bhitheadh spòrs aca a
dèanamh nam planaichean co-dhiù.

"Cha chreid mi fhèin nach ann anns
a' bhaile a b' fheàrr dhuinn an teanta a chur,"
arsa Donaidh. "Bithidh fasgadh againn bho
na tobhtaichean agus ma thig uisge trom
faodaidh sinn a dhol a-steach dhan
bhothaig."
"Agus bithidh bùrn ann cuideachd," arsa
Seòras. "Cha robh riamh baile gun tobar."

"Tha thu ceart," arsa Donaidh. "A Chatriona agus Eilidh, theirigibh a lorg na tobrach agus lorgaidh mise agus Seòras àite freagarrach airson na teanta."

Dh'fhalbh an dithis nighean a lorg na tobrach. Bha fios aca càit an robh i, oir bha Catrìona air a bhith ann anns a' mhadainn ag iarraidh bùrn airson na teatha. Bha an tobar brèagha glan, oir dh'fheumadh i a bhith air a glanadh latha na fainge co-dhiù.

Sheall Catrìona an tobar dha Eilidh agus nuair a thill iad bha na balaich nan suidhe air bàrr tobhta a' bruidhinn.

"Na lorg sibh i?" arsa Donaidh.

"Lorg," arsa Catrìona. "Bha fios agam càit an robh i, oir sheall mo mhàthair dhomh i anns a' mhadainn. Sheall mise dha Eilidh i."

"Glè mhath. Thugainn air ais a-nis mus falbh iad às ar h-aonais. Na innsibh guth dhan chlann eile no bithidh iadsan ag iarraidh ann cuideachd," arsa Donaidh. "'S fheàrr dhuinn gun innse dha ar pàrantan gu ruig sinn an taigh."

Rinn iad an slighe air ais air an socair fhèin. Nuair a ràinig iad an fhaing bha an rùsgadh seachad agus bha na fireannaich a' toirt nam pocannan clòimhe sìos chun a' chidhe. Chaidh Catrìona agus Eilidh a chuideachadh nam boireannach leis na bagannan agus thug Seòras agus Donaidh na deamhaisean sìos.

Nuair a bha iad uile air bòrd a' bhàt'-iasgaich a-rithist dh'èigh Seonaidh Mòr, "A bheil a h-uile duine 's a h-uile càil agaibh?"

"Tha," fhreagair iad agus dh'fhàg na bàtaichean Pabaigh agus an rùsgadh airson bliadhna eile.

As dèidh na dìnneir am feasgar sin dh'fhaighnich Seòras a' cheist a bha e ag iarraidh fhaighneachd o chionn trì uairean a thìde dha athair. "Dadaidh, am faod sinn a dhol a-null a Phabaigh a champachadh airson seachdain?" ars esan.

"Thu fhèin agus co eile?" fhreagair athair.

"'Mi fhèin agus Donaidh agus Catrìona agus Eilidh."

"Chan eil fhios agam. Cò choimheadas às ar dèidh?" ars athair.

"Sinn fhèin. Nì sinn ar biadh fhèin 's a h-uile càil," fhreagair Seòras.

"Chì sinn. Feumaidh mi bruidhinn ri do mhàthair agus ri Dòmhnall Iain. A-nis a-mach à seo agus chì sinn mu dheidhinn a-rithist," ars athair.

Dh'fhalbh Seòras agus Catrìona a-null gu Donaidh agus Eilidh. Bha an dithis sin nan suidhe anns a' ghàrradh a' coimhead gu math gruamach.

"Dè thuirt iad?" dh'fhaighnich Seòras.

"Chì sinn," fhreagair Donaidh.

"'S e sin a thuirt m' athair-sa cuideachd, 's tha e a' tighinn a-nall a-seo a dh'fhaicinn d' athair," arsa Seòras.

"Uill, cha duirt iad nach fhaodadh sinn a dhol ann," arsa Catrìona.

"Cha duirt iad gum faodadh a bharrachd," ars Eilidh.

Shuidh a' chlann an sin airson greiseag a' bruidhinn air a' chùis. Cha b' fhada gus an do nochd Iain agus Sìne, a bhean, sìos an rathad.

"Tha sibh a-seo," arsa Sìne.

"Am faod sinn a dhol a Phabaigh?" arsa Catrìona ri màthair.

"Feumaidh sinn bruidhinn ri Dòmhnall Iain agus Mairead an toiseach, a ghràidh. Chì sinn," fhreagair a màthair.

"Chì sinn," arsa Seòras gu tùrsach an dèidh dhaibh a dhol a-steach. "Tha mi a' creidsinn nach fhaod."

"An tèid sinn a-steach?" dh'fhaighnich Eilidh.

"Fuirich greiseag," arsa Donaidh rithe.

Bha an ceathrar a' feitheamh an sin agus bha iad a' fàs gu math an-fhoiseil an uair a chuala iad Dòmhnall Iain ag èigheach, "Thigibh a-steach. Tha sinn airson bruidhinn ruibh."

Ruith iad a-steach cho luath 's a
b' urrainn dhaibh.

"Uill," arsa Dòmhnall Iain. "An dùil an tèid
agaibh air coimhead às ar dèidh fhèin?"

"Thèid," ars an ceathrar còmhla.

"Leigidh sinn leibh a dhol ann ach thèid
cuideigin a-null a h-uile dhà no trì
lathaichean a dh' fhaicinn a bheil cùisean air
dòigh. Faodaidh sibh a' gheòla a thoirt leibh
agus ma thèid càil ceàrr gheibh sibh air ais
gu tìr-mòr. Tha fios agadsa, a Dhonaidh,
ciamar a dh'obraicheas tu an outboard."

Thòisich an othail an uairsin. Bha an
ceathrar a' bruidhinn còmhla 's a' toirt taing
dham pàrantan. Mu dheireadh thuirt Sìne,
"Dhachaigh leibh. Bithidh sibh sgìth as
dèidh na fainge agus tha an t-uabhas agaibh
ri ullachadh airson an turais a-màireach."

"Cuin a dh'fhaodas sinn falbh?" dh'fhaighnich
Seòras.

"Feasgar a-màireach ma tha an latha ann air
a shon," arsa Iain a' dol a-mach an doras.
"Oidhche mhath."

"Oidhche mhath," ars a h-uile duine.

4. AG ULLACHADH

Cho luath 's a ghabh iad am bracaist an ath
mhadainn rinn Seòras agus Catrìona a-null
gu Donaidh agus Eilidh. Lorg iad an dithis
sin anns a' gharaids còmhla rin athair a' cur
teanta air dòigh.

"Thigibh a-seo," arsa Dòmhnall Iain.
"Siuthad, a Sheòrais, coimhead a bheil na
pòlaichean gu lèir an siud. A Chatrìona
b' fheàrr dhut fhèin agus dha Eilidh a dhol
a-steach gu Mairead 's gun dèan sibh liosta
de bhiadh a tha sibh ag iarraidh."

Dh'fhalbh an dithis a-steach. Chuidich
iad Mairead leis an liosta.
"'S e tionaichean as motha a dh'fheumas
sibh," arsa Mairead. "Tionaichean feòil,
tionaichean mheasan, pudding, tionaichean
pears, peaches 's rudan mar sin. Gheibh sinn
hama, sausages agus uighean cuideachd."

Cha b' fhada gus an robh an liosta
deiseil.

"Chan ith sinne na tha seo," ars Eilidh.

"Sibh a dh'itheas," fhreagair a màthair.

"A-nis feumaidh sinn panaichean, sgeinean,
forcaichean, spàinean 's mar sin air adhart."
Chaidh i null chun a' phreasa. "Tha dà
phana a-seo ach chan eil frying-pan agam
idir. An dùil a bheil fear aig do mhàthair,
a Chatriona?"

"Tha fios gu bheil. An tèid mi ga iarraidh?"
arsa Catrìona.

"Fuirich mionaid," thuirt Mairead.
"Faighnich dhi airson tin opener cuideachd
agus an camping stove. Cha chreid mi nach e
sin e. O, cupanan agus truinnsearan."

"Tha feadhainn phlastaig aice," arsa
Catrìona.

"Glè mhath. Siuthad, thalla agus cuir sin air
dòigh. Eilidh, am faigh thu na seann
sgeinean agus na forcaichean às an
dreasair?" arsa Mairead.

Ruith Catrìona dhachaigh. Lorg i a
màthair a' pasgadh dà sleeping bag. Dh'innis
i dhi dè bha i ag iarraidh.

"Tha sin ceart gu leòr," ars a màthair. Gheibh
sinn a h-uile càil a tha sin. A-nis, thalla agus
dèan do bhaga deiseil. Tha mi air do chuid
aodaich fhàgail air uachdar na leap'."

Nuair a ràinig Catrìona a rùm bha a h-aodach air a leabaidh agus dà gheansaidh clòimhe.

"Mamaidh," dh'èigh i. "Chan eil feum air na geansaidhean. Tha e fada ro bhlàth."

"Ta, bithidh e gu math fuar air an oidhche agus bithidh feum agad orra," dh'èigh a màthair air ais.

Cha robh Catrona cho cinnteach. Nuair a bha i deiseil chaidh i sìos an staidhre agus a-mach às an taigh. Bha Donaidh agus Seòras an sin le teanta eile.

"A bheil dà theanta gu bhith againn?" ars ise.

"Tha. Na bi cho gòrach," arsa Seòras. "Bithidh an ceathrar againn mar sgadain ann am baraille anns an aon teanta. Bithidh mise agus Donaidh a' cadal ann an aon agus thusa agus Eilidh anns an tèile."

Cha bu luaith' na thuirt e seo na stad Mairead agus Eilidh anns a' chàr. "A bheil sibh a' tighinn dhan bhùth còmhla ruinn? Faodaidh sibh a thighinn a thaghadh na siùcaran a tha sibh ag iarraidh," arsa Mairead.

Nuair a bha iad a' dol dhan chàr thàinig Sìne a-mach. "Fuirich mionaid, a Mhairead, agus gheibh mi airgead dhut," thuirt i.

"Och, fàg an-dràsd' e. Chì mi dè na chosgas e agus faodaidh tu mo phàigheadh air ais a-rithist."

"Glè mhath, ma-tha. Chì mi a dh'aithghearr sibh," dh'èigh Sìne.

Lìon iad an troilidh anns a' bhùth leis a h-uile seòrsa bìdh a dh'fheumadh iad. Nuair a bha iad ga phàigheadh thuirt Murchadh, "Dè tha sibh a' dol a dhèanamh rè ur làithean-saora?"

"Tha sinn a' dol a champachadh a-null a Phabaigh," arsa Donaidh, agus thòisich e ag innse dha mun turas air an robh iad a' dol.

"Seadh. Bithidh daoine a' cosg fortan a' dol chun a' Chosta Brava ach ma sheasas an tìde bithidh seachdain a cheart cho math agaibh ann am Pabaigh. 'S e Pabaigh a b' fheàrr leamsa co-dhiù," arsa Murchadh.

"'S e Pabaigh as fheàrr," arsa Catrìona a' dol a-mach an doras as dèidh an fheadhainn eile. "Cha bhi duine ann ach sinn fhèin."

Thionndaidh i agus bhuail i ann an duine àrd le speuclairean dubha anns an doras.

"Watch where you're going," ars esan gu feargach.

"Sorry," arsa Catrìona agus ruith i as dèidh an fheadhainn eile cho luath 's a b' urrainn dhi.

"Am faca tu an duine ud?" dh'fhaighnich i dha Eilidh. "Duine grànda, mosach. Bhuail

41

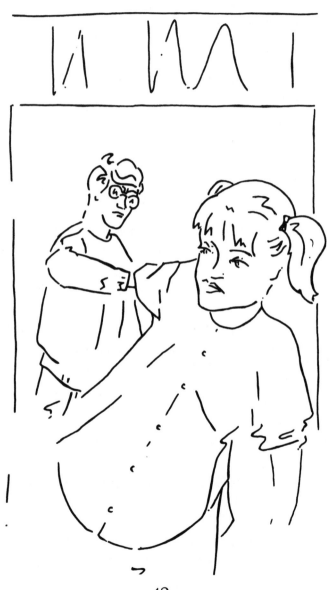

mi ann anns an doras agus 's e a bha
fiadhaich."

"Na toir an aire dha," arsa Mairead. "Tha
feadhainn den luchd-turais a bhitheas
a' tighinn an seo den bheachd gur ann leotha
fhèin a tha an àite. Accident a bh' ann,
a ghràidh."

Ach bha e air aire Chatriona. Bha rudeigin
neònach mu dheidhinn an duine.

Nuair a ràinig iad an taigh bha a h-uile
càil an ìre mhath deiseil.

"Cuin dh'fhaodas sinn falbh?" arsa Donaidh ri
athair.

"Dèanaibh foighidinn," fhreagair athair.
"Tha agam ri sùil a thoirt air an outboard ach
am faic mi a bheil peatroil gu leòr ann.
Faodaidh sibh falbh as dèidh ur dìnneir."

"Am faod sinn na cuileanan agaibh fhaicinn?"
arsa Eilidh ri na balaich.

"Glè mhath. Cha robh càil a chuimhne agam
orra. Thallaibh agus faighibh ur
baidhsagalan agus chì sinn sibh aig an taigh
agaibh fhèin," arsa Donaidh ri Seòras agus
Catrìona.

Sin mar a chuir iad seachad an còrr den
mhadainn — a' cluiche le na cuileanan air
cùlaibh bàthach Dhòmhnaill Alasdair. Bha
Catrìona agus Eilidh a' smaoineachadh
gu robh iad uabhasach brèagha 's iad cho

beag 's cho reamhar.

As dèidh am bìdh choinnich an ceathrar aig taigh Dhonaidh. Bha Mairead a' dol gan toirt chun a' chidhe anns a' chàr leis na bh' aca de stuth.

"A bheil a h-uile càil an seo?" arsa Mairead a' tighinn a-mach às an taigh. Bha a' chlann air an stuth a chruinneachadh aig a' chàr.

"Chan eil. Tha teanta, camping stove agus ar bagannan thall aig an taigh. An urrainn dhuibh stad air an son?" arsa Seòras.

"Ceart, ma-tha. Tha cho math dhuinn seo a chur dhan bhoot," arsa Mairead.

Rinn iad sin agus stad iad airson stuth Sheòrais agus Chatriona. Nuair a bha a h-uile càil anns a' chàr thuirt Sìne, "Tha mi an dòchas gun còrd ur turas ruibh agus nach tèid sibh an sas an olc sam bith. Coimheadaibh às ur dèidh fhèin."

"Cheerio, Mamaidh," arsa Catrìona agus Seòras.

"Cheerio an-dràsda," ars an dithis eile.

Bha Dòmhnall Iain a' feitheamh riutha aig a' chidhe. Chuidich e iad a' cur an stuth dhan gheòla. Nuair a bha iad deiseil thuirt e, "'S math gu bheil outboard oirre no cha dèanadh sibh càil air na ràimh leis na tha de lod innte. A-nis, a Dhonaidh, tha peatroil gu leòr innte agus ma tha feum agaibh air, 's cha

44

chreid mi gum bi, tha tanca an sin le tuilleadh peatroil. A bheil thu a' faicinn na tanca dhearg sin?"

"Tha. Ceart, ma-tha," fhreagair Donaidh.

"Bi faiceallach a' dol timcheall an rubha. Fuirich a-mach bhon chladach mar a sheall mi dhut, oir tha tòrr sgeirean a-staigh an sin. Cuimhnich cuideachd gum fuirich thu ann am meadhan a' chaolais a' dol a-steach a bhàgh Phabaigh. Siuthad, cuir a dhol i," arsa Dòmhnall Iain.

Chuir Donaidh an einnsean a dhol agus leig athair às an ròpa.

"O.K. Cheerio," arsa Donaidh.

"Cheerio," ars an triùir eile.

Stiùir Donaidh a' gheòla a-mach bhon chidhe agus thionndaidh e agus smèid e ri athair 's ri mhàthair. Smèid an triùir eile cuideachd.

"Tha seo math," ars Eilidh. "A' falbh a champachadh leinn fhèin."

"Tha. 'S e adventure a bhitheas ann," arsa Seòras 's e a' tionndadh 's a' coimhead ri Pabaigh.

5. PABAIGH

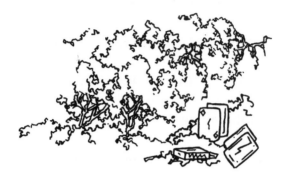

Bha iad air an slighe mu dheireadh thall.
Cha duirt duine mòran air an t-slighe a-null.
Bha iad uile a' smaoineachadh air an
t-seachdain a bha rompa. B' e latha math
seòlaidh a bh' ann agus cha robh ann ach
oiteag bheag gaoithe. Ann am beagan agus
fichead mionaid bha iad a' tionndadh
a-steach a bhàgh Phabaigh. Chum Donaidh
a' gheòla ann am meadhan a' chaolais mar a
dh'iarr athair air 's cha b' fhada gus an robh
iad aig a' chidhe. Leum Seòras air tìr agus
cheangail e an àirde a' gheòla far an robh
staidhre cloiche a' dol sìos. Bha an làn ann
agus mar sin cha robh cho fada aca ris an
stuth a thoirt suas an staidhre.

Ann an ceann deich mionaidean bha a
h-uile càil aca air tìr agus thuirt Donaidh,
"Uill, seo sinn air tìr ann am Pabaigh. Cha

bu chòir dhuinn a bhith ro fhada a' toirt na
tha seo suas chun a' bhaile. Tha an t-slighe
beagan nas còmhnaird' as dèidh seo."

"Tha gun teagamh," arsa Seòras. "An dùil
càit an stòr sinn am biadh?"

"Stòraidh sinn anns a' bhothaig e," arsa
Eilidh. "Tha cuimhne agam gu robh preasa
mòr a-staigh an sin."

"'S e sin mur eil càil eile ann," arsa Catrìona.

"Thugainn, ma-tha," arsa Donaidh. "Chan
fhaigh còmhradh na tha seo de stuth suas
chun a' bhaile. A Sheòrais, bheir thusa aon
teanta suas agus bheir mise an tèile leam.
A Chatriona agus Eilidh, an dèan sibhse
a' chùis air fear de na bucais bìdh sin an
duine?"

"Ceart," fhreagair an triùir eile.

Bha Mairead air bucais nach robh ro
mhòr a thaghadh anns a' bhùth gus nach
bitheadh iad ro throm dha aon duine den
chloinn an giùlain. Thàinig orra dà thuras
eile a dhèanamh chun a' chidhe mus robh an
stuth gu lèir shuas anns a' bhaile.

Nuair a ràinig iad leis an lod mu
dheireadh thuirt Seòras, "Tha pathadh
uabhasach ormsa. A Chatriona no Eilidh, an
tèid tè agaibhse a dh'iarraidh peile bùirn
dhan tobar on tha fios agaibh càit a bheil i?
Gheibh mise na cupanan a-mach agus 's

dòcha briosgaidean."

"Fàg na briosgaidean," arsa Donaidh. "Chan eil cho fada bho ghabh thu do bhiadh. 'S dòcha gum faigh thu briosgaid agus deoch orains an uair a chuireas sinn an àirde na teantaichean. Feumaidh tu a bhith riaraichte le do dheoch bhùirn an-dràsda."

"Cluinn am Boss," arsa Seòras.

"Feumaidh cuideigin a bhith os cionn chùisean," arsa Donaidh. "Agus bhon 's e mise as aosda 's mise a bhitheas os ar cionn."

"Yes, Sir," arsa Seòras 's e a' suidhe sìos. Rinn a' chlann-nighean gàire agus dh'fhalbh iad chun na tobrach. Cha robh iad fada gus an do thill iad le peile bùirn.

"Tha e cho blàth," ars Eilidh. "Cha tu an aon duine a tha feumach air deoch bhùirn a Sheòrais."

Shìn Seòras cupan an duine thuca agus shuidh iad ag òl.

"Seadh. Chan eil an obair-latha seachad fhathast," arsa Donaidh 's e a' seasamh an àirde. "Tòisichidh sinn leis na teantaichean. Cuiridh sinn an àirde iad thall an sin eadar na tobhtaichean. Air do chois, a Sheòrais."

Sgaoil Donaidh agus Seòras a-mach aodach na teanta agus na pòlaichean. Fhuair Eilidh agus Catrìona na prìnichean airson a ceangal ris an talamh. 'S iad nach robh fada

48

ga cur an àirde.

"A-nis an tè agaibhse," arsa Seòras a' bualadh a' phrìne mu dheireadh dhan talamh. "Feumaidh sinn a bhith cinnteach nach eil iad ro fhaisg air a chèile."

Cha b' fhada gus an robh an dà theanta an àirde.

"Thèid mi fhèin agus Seòras sìos chun na tràghad a dh'iarraidh fiodh a nì teine a-nochd fhad 's a tha sibhse a' glèidheadh a' bhìdh," arsa Donaidh.

'S ann aig an dithis nighean a bha an latha dheth anns a' bhothaig. Fhuair Eilidh pàipear-naidheachd airson a chur air na sgeilpean agus thòisich iad an uairsin a' cur a' bhìdh air dòigh.

"Tha seo a-staigh math fuar airson a' bhìdh," ars Eilidh. "Cha mhòr gu bheil deò grèine a' tighinn a-steach air na h-uinneagan beaga sin. Seadh, cuir na tionaichean pudding agus an long-life milk air an dàrna sgeilp."

"'S e larder math tioram a th' ann," arsa Catrìona nuair a bha iad deiseil. "Chan fhaigh luchagan no càil a-steach ma chumas sinn an doras dùinte."

"Lasaidh sinn an camping stove agus nì sinn cupan teatha," ars Eilidh. "Lasaidh sinn i air taobh a-muigh an dorais an àite a bhith a-staigh a-seo anns an dorchadas."

Fhuair i pana bhon treas sgeilp agus dh'fhalbh i a-mach. Thug i a-nall am peile bùirn agus lìon i am pana. Las i an stòbha agus chuir i am pana bùirn oirre.

"Dè mu dheidhinn na sleeping bags a chuir dha na teantaichean fhad 's a tha sin a' goil?" arsa Catrìona.

"Bithidh e eagalach mì-chofhurtail a' cadal air an talamh chruaidh. Leugh mise ann an leabhar mu dheidhinn daoine a spìon badan fraoich 's a sgaoil iad fo na sleeping bags 's iad a' campachadh, agus bha iad glè chofhurtail," ars Eilidh.

"'S e beachd math a tha sin ," arsa Catrìona. "An dùil càit a bheil na balaich? Tha mise a' dol a dh'fhaicinn càit a bheil iad."

Cha robh i ach air crìoch a' bhaile a ruighinn nuair a chunnaic i iad a' dìreadh an àirde bhon chladach le bucas èisg làn fiodh eatarra. Dh'fhuirich i riutha agus rinn an triùir an slighe air ais còmhla agus Catrìona a' cur às a corp mun larder a fhuair iad agus mar a dhèanadh iad leabaidh le badan fraoich.

Chuala Eilidh i ag innse seo dhaibh agus nuair a ràinig iad far an robh i thuirt i, "Dè bhur beachd?"

"Tha mi a' smaoineachadh gum bitheadh sin glè mhath," arsa Donaidh. "Thèid sinn a

chruinneachadh fraoch nuair a ghabhas sinn
ar teatha. A bheil i gus a bhith deiseil?"
"Tha . Tha i dìreach air tarraing," ars Eilidh.
"Siud na briosgaidean."
"'S e deagh bheachd a bh' agad mu bhadan
fraoich airson an cur air an talamh fo na
sleeping bags. Tha fraoch gu leòr air an
leathad os cionn a' bhaile," arsa Seòras.

Chuir iad seachad an còrr den fheasgar
sìos agus suas bhon leathad os cionn a' bhaile
le ultaich fraoch.
"Cha chreid mi nach eil gu leòr againn a-nis,"
arsa Donaidh mu dheireadh. "Cuiridh sinn
a-steach dha na teantaichean e."

Rinn iad sin agus sgaoil iad na sleeping
bags air a mhuin.
"Tha seo uabhasach cofhurtail," arsa Seòras.
"Dh'fhaodainn cadal an-dràsda fhèin."
"Dèan sin," arsa Donaidh. "Ach nì thu
a' chùis às aonais do dhìnneir."
"A bheil e an uair sin?" dh'èigh Seòras.
"B' fheàrr dhuinn innse dhan
chlann-nighean."

Ach cha leigeadh e a leas. Bha Catrìona
agus Eilidh air falbh a-null chun na bothaig
nuair a bha iad deiseil agus bha an stòbh air
agus bha am buntàta a' goil.
"Dè th' againn gu ar dìnneir?" arsa Donaidh 's
e a' tighinn a-nall chun na bothaig.

"Tha corned beef, buntàta anns an rùsg agus beans," fhreagair Eilidh. "A Chatriona, an tèid thu a dh'iarraidh tuilleadh bùirn dhan tobar agus thoir an dithis seo leat? Tha cho math dhaibh fios a bhith aca càit a bheil i."

Dh'fhalbh an triùir leis a' pheile agus nuair a thill iad leis a' bhùirn bha Eilidh dìreach a' taomadh a' bhuntàta.

"Cuir am peile a-steach agus cuir mias air a mhuin mus fhaigh cuileagan ann," thuirt i riutha. "Tha am biadh deiseil."

Shuidh an ceathrar a-muigh air an liana ag ithe am biadh. Cha robh iad ag ràdh facal fhad 's a bha iad ag ithe. 'S e Seòras a bha deiseil an toiseach agus thuirt e, "Bha siud uabhasach blasda, Eilidh.

Dh'aontaich an fheadhainn eile leis.
"A bheil sibh ag iarraidh pudding?" ars ise.
"Tinned rice agus peaches."
"Tha gu dearbh," arsa Donaidh.
"Ceart, on a tha thusa deiseil cuir air an coire, a Sheòrais, agus nì sinn cupan teatha," arsa Eilidh.

As dèidh na dìnneir nigh Catrìona na soithichean, thiormaich Seòras iad agus chuir Donaidh air falbh iad, on a rinn Eilidh am biadh.

"Dè nì sinn a-nis?" arsa Seòras.
"An tug thu leat na cairtean?" arsa Donaidh.

"Thug. Tha iad anns an teanta. Thèid mi gan iarraidh," arsa Seòras.

Shuidh iad a' chluiche chairtean air taobh a-muigh nan teantaichean airson faisg air uair a thìde gu leth gus an duirt Catrìona, "Tha mi sgìth. Cha chreid mi nach tèid mi a chadal."

"Tha cho math dhuinn gu lèir a dhol innte," arsa Donaidh

"Oidhche mhath," arsa Catrìona agus Eilidh.

"Oidhche mhath," arsa na balaich.

Bha iad uile sgìth agus chaidil iad gu trom an oidhche sin. Cha chuala iad bàta a' tighinn a-steach dhan bhàgh no diosg nan ràmh agus geòla a' tighinn air tìr. Cha bu mhotha a chuala iad cuideigin ag èaladh timcheall air na teantaichean agus a' dol a-steach dhan bhothaig. Chaidil iad gu madainn.

6. A' YACHT

Dhùisg Seòras an toiseach an ath mhadainn.
"A Dhonaidh, dùisg. Dè an uair a tha e?
Dùisg, a Dhonaidh," thuirt e.
"Uh," arsa Donaidh. "Dè thuirt thu?"
"Dè an uair a tha e?" arsa Seòras ris a-rithist.
"Tha e cairteal gu naoi," fhreagair Donaidh.
"A bheil thu ag èirigh?"
"Tha gu dearbh. Chan eil mi airson mionaid
a chall air an eilean seo. An tèid sinn cuairt
chun a' chinn a tuath an-diugh?" arsa Seòras
's e a' fosgladh na teanta.
"Tha mi a' creidsinn. Thalla agus dùisg
a' chlann-nighean," arsa Donaidh gu
cadalach.
     Dh'fhalbh Seòras a-null chun na teanta
eile agus dh'èigh e ri Catrìona agus Eilidh,
"Dùisgibh. Tha latha math eile ann.
Greasaibh oirbh. Tha an t-acras orm."

"Ceart, ma-tha," fhreagair Eilidh. "Cuir an stòbh air agus goil an coire."

Chaidh Seòras a-null chun na bothaig. Nuair a dh'fhosgail e an doras bha am peile bùirn air a chliathaich agus a' mhias phlastaig air an làr. Cha robh deur bùirn ann.

"Cò dhòirt am bùrn?" dh'èigh e.

"Cha do dhòirt duine,"arsa Eilidh a' tighinn a-mach às an teanta.

"Dhòirt cuideigin e," arsa Seòras. "Tha am peile air a chliathaich agus a' mhias air an làr."

"Tha sin neònach," arsa Eilidh. "Thalla agus faigh tuilleadh an-dràsda.

Chaidh an triùir eile gan nighe fhèin anns an allt a bha a' ruith faisg air a' bhaile. Nuair a thill iad bha Seòras air tilleadh agus air an coire a chur air.

Rinn a' chlann-nighean am bracaist. Sausages agus uighean agus aran le ìm. Shuidh iad aig doras na bothaig ga ithe.

"'S neònach mar a chaidh am peile a leagail," arsa Seòras a-rithist.

"'S dòcha gur e beathach a leag e," arsa Donaidh.

"Dè? An e radan?" arsa Catrìona gu h-eagalach.

"Chan e. 'S dòcha gu robh rabaid no rudeigin

56

mar sin a-staigh," arsa Donaidh.

Cha robh an fheadhainn eile cho cinnteach.

As dèidh am bracaist thuirt Seòras, "Thugainn cuairt gu ceann a tuath an eilein."

"Am bi sinn fada?" dh'fhaighnich Eilidh.

"'S dòcha," fheagair Donaidh.

"Nì mi sandwiches. A Chatriona, thalla dhan phreasa agus faigh tionaichean airson sandwiches. Faodaidh sibhse, a Sheòrais agus a Dhonaidh, ìm a chuir air lof," ars Eilidh.

Dh'fhalbh an ceathrar mu dheich uairean agus am biadh aca ann am baga. Choisich iad suas taobh an ear an eilein gus an do ràinig iad na creagan àrd aig ceann a tuath an eilein.

"Na teirigibh ro fhaisg air na creagan," arsa Donaidh ris an fheadhainn eile. "Tha m' athair ag ràdh gu bheil iad glè chunnartach. Tha iad a' briseadh agus chan eil sinne ag iarraidh duine a dhol leotha."

"Tha iad a' cur eagal orm fhèin co-dhiù," arsa Catrìona. "Cha leig thu a leas iarraidh ormsa cumail air falbh."

Choisich iad timcheall a' chinn a tuath a' gabhail iongnadh air a h-uile seòrsa eun a bha ann. Stad iad aig leth uair an dèidh meadhan-latha a dh'ithe am biadh. Bha iad chun a-seo air cromadh sìos bho bhàrr nan

57

creag agus bha iad a-nis air taobh an iar an eilein. Fhad 's a bha iad ag ithe am biadh chunnaic iad yacht le siùil gheala a-muigh air a' mhuir.

"An dùil an e tè dhen fheadhainn a chunnaic sinn an latha eile a tha siud?" arsa Seòras.

"Tha i ro fhada air falbh airson sin a dhèanamh a-mach," arsa Eilidh. "An dùil càit a bheil i a' dol?"

Cha do fhreagair duine i. Bha iad uile ag ithe agus a' coimhead na yacht. Nuair a bha iad deiseil chum iad orra a' coiseachd gus an do ràinig iad an tràigh. An uairsin chaidh iad sìos chun na gainmhich agus bha iad a' coiseachd an oir na mara.

"Nach bhitheadh e math a dhol a shnàmh," arsa Catrìona. "Tha mise cho blàth as dèidh na cuairt ud."

"Chan eil ar h-aodach snàmh againn," arsa Eilidh.

"Ud, 's e shorts agus T-shirts a th' oirnn agus cha bhi iad sin fada a' tiormachadh anns a' ghrian. Cuiribh dhibh ar brògan agus thèid sinn a-steach," arsa Donaidh.

Rinn iad sin. Bha iad mu leth uair a' cluiche anns a' mhuir agus a' snàmh mus duirt Donaidh, "Tha cho math dhuinn a bhith a' dèanamh ar slighe air ais."

Choisich iad a-null an tràigh 's iad bog

fliuch ach mus do ràinig iad am baile bha iad
tioram a-rithist. Cha robh iad càil ach air am
baile a ruighinn nuair a chunnaic iad siùil
gheala na yacht a' tighinn a-steach dhan
bhàgh.

"Seall na yacht," dh'èigh Seòras. "Tha i
a' tighinn a-steach a-seo. An dùil an tig iad
air tìr?"

"Thugainn sìos chun a' chidhe agus gheibh
sinn sealladh nas fheàrr oirre," arsa Donaidh.
"Tha mi a' creidsinn gun acraich i anns
a' bhàgh."

Ruith an ceathrar sìos chun a' chidhe 's
iad a' cumail an sùil air a' yacht fad na tìde.
Nuair a ràinig iad an cidhe bha a' yacht air
stad pìos a-muigh anns a' bhàgh agus bha na
siùil air am pasgadh. Chuala iad fuaim
seighne.

"Siud i a' leigeil sìos na h-acair," arsa
Donaidh. "B' fheàrr leam gu robh prosbaig
agam agus chithinn na b' fheàrr i."

"Dh'fhaodadh cuideigin tè a thoirt a-nall
nuair a bhitheas iad a' tighinn a shealltainn
oirnn," arsa Seòras. "Bu chaomh leam fhèin
a faicinn nas fhaisge cuideachd. Ma thig iad
air tìr an dùil an leig iad leinn a dhol a-mach
thuice?"

"Chì sinn an tabhaich iad a shealltainn
dhuinn," arsa Donaidh. "Fuiridh sinn

greiseag ach am faic sinn a bheil iad
a' tighinn air tìr."

Shuidh a' chlann air a' chidhe agus cha
b' fhada gus am faca iad dithis ag iomradh gu
tìr ann an geòla bheag. Nuair a ràinig iad an
cidhe dh'èigh fear ris a' chloinn ann am
Beurla, "Mo chreach-s', cha robh dùil agam
duine fhaicinn an seo. Cha robh mi
smaoineachadh gu robh duine beò a' fuireach
air an eilean."
"Chan eil," fhreagair Donaidh. "Tha sinne
dìreach a' campachadh an seo airson dhà no
trì lathaichean re ar làithean-saora."
"Dìreach an ceathrar agaibh. A bheil duine
a' coimhead às ur dèidh?" dh'fhaighnich an
dàrna fear.
"Chan eil. Tha sinn glè mhath air coimhead
às ar dèidh fhèin," fhreagair Donaidh.
"Uill, tha sinne dìreach air a thighinn air tìr
airson cuairt agus airson sùil a thoirt
timcheall an eilein. Tha sinn a-bhos a-seo
airson mìos a' seòladh timcheall nan eileanan
agus a' dèanamh beagan iasgaich. Co às a
tha sibh fhèin?" ars a' chiad fhear.
"Tha sinne às a' Chreagan, baile beag mu
mhìle às a-seo air tìr-mòr Leòdhais," arsa
Donaidh.

Chum na daoine a' ceasnachadh na
cloinne airson greiseag mus do dh'fhalbh iad

61

cuairt timcheall an eilein. Dh'fhuirich
a' chlann air a' chidhe.

"Abair ceistean!" arsa Seòras an dèidh
dhaibh falbh. "Bha mi air cluinntinn gu robh
na Sasannaich math air ceasnachadh, ach
cha chuala mi riamh uiread ri siud. Tha fios
acasan air tòrr mu ar deidhinn ach chan eil
fios againne air càil mun deidhinn ach gu
bheil iad a' dol timcheall nan eileanan airson
mìos."

"Abair e," arsa Catrìona. "Tha fios acasan cò
sinne ach chan eil fiù fios againne air na
h-ainmean aca."

"Och, dè an diofar?' arsa Donaidh. "Thugainn
sìos chun na gainmhich."

"An dèan sinn caisteal mòr?" arsa Eilidh.
"Cuiridh sinn dìg timcheall air agus leigidh
sinn leis a' mhuir a thighinn timcheall air."

"Ceart, ma-tha," arsa càch.

Ann an ceann ùine thuirt Seòras ri
Donaidh, "Cha do dh'fhaighnich thu dhaibh
am faodadh sinn coimhead timcheall
a' bhàta."

"Cha bu chaomh leam. Cha do thabhaich iad
fhèin," fhreagair Donaidh. "Carson nach do
dh'fhaighnich thu fhèin?"

Cha do fhreagair Seòras e.

Cha robh an caisteal buileach deiseil
nuair a chuala iad na Sasannaich

ag èigheachd orra. Chaidh iad a-null chun
a' chidhe far an robh iad. Dh'fhaighnich
a' chiad fhear càit am faigheadh iad bùirn.
Sheall a' chlann an tobar dhaibh agus lìon iad
dà thanca làn bùirn.
"Seo far a bheil sibh a' campachadh," ars
a' chiad fhear nuair a chunnaic e na
teantaichean anns a' bhaile. "Aite math
fasgach a th' agaibh an seo am measg nan
tobhtaichean. Is mise Tònaidh agus seo mo
bhràthair, Pòl."
"Hallo," arsa a' chlann còmhla.
"Fhuair sinn grunnan èisg an-diugh," arsa
Tònaidh. "On a tha sibh air a bhith cho math
dhuinn am bu chaomh leibh a thighinn
a-mach chun na yacht airson ar suipeir?"
Choimhead a' chlann ri chèile. 'S e seo an
cuireadh ris an robh iad a' feitheamh.
"Bhitheadh sin math," arsa Seòras 's e
a' freagairt airson an fheadhainn eile.
"Thugainn sìos chun na geòla," arsa Tònaidh.
     Abair gun do chòrd am feasgar riutha.
Bha a' yacht tòrr na bu mhotha na broinn na
bha dùil aca an toiseach agus bha fiù
telebhisean innte.
     Nuair a ghabh iad am biadh thuirt
Tònaidh riutha, "Feumaidh sinne seòladh
a-rithist. Cuiridh mise air tìr sibh fhad 's a
tha Pòl a' nighe nan soithichean.

Fhad 's a bha e gan cur air tìr thòisich
Tònaidh gan ceasnachadh a-rithist.
Dh'fhaighnich e dhaibh dè fhad 's a bha iad
air a bhith air an eilean. Am faca iad duine
eile air an eilean? Am faca iad gin eile?
Dh'fhaighnich e mòran cheistean cuideachd
mun eilean fhèin.

Nuair a fhuair iad air tìr dh'èigh iad
"Cheerio," ris.
"Cheerio. 'S dòcha gum faic sinn a-rithist sibh
nuair a thilleas sinn air ais an taobh seo,"
arsa Tònaidh. "'S dòcha gum bi tìde againn
airson sail anns a' yacht. An còrdadh sin
ruibh?"
"Chòrdadh," dh'èigh iad còmhla.

Sheas iad air a' chidhe ga choimhead ag
iomradh air falbh.
"Fhuair thu do mhiann an dèidh a h-uile
rud," arsa Catrìona ri Seòras.
"Fhuair. Abair bàta. Bhitheadh e math nam
bitheadh sinn air sail fhaighinn innte ge-ta.
Tha mi an dòchas gum bi sinn an seo nuair a
thilleas iad," fhreagair Seòras.
"Bi riaraichte leis a-siud," ars Eilidh. "A
bheil duine ag iarraidh còco mus tèid sinn
dhan leabaidh?"

Rinn iad an slighe air ais chun a' bhaile
agus shuidh iad air bàrr tobhta ag òl còco
agus a' bruidhinn air na thachair air

an yacht. Chunnaic iad a' yacht a' seòladh
a-mach às a' bhàgh agus às an t-sealladh. An
uairsin chaidh iad gu na teantaichean agus
cha robh iad fada a' tuiteam nan cadal an
oidhche sin.

7. COIGRICH

Dhùisg Seòras le briosgadh. Bha e fhathast
dubh dorcha. Dh'fhuirich e am broinn an
sleeping bag gun ghluasad agus e ag
èisdeachd. Bha a h-uile càil sàmhach. Cha
robh e a' tuigsinn dè a dhùisg e, agus bha e
dìreach gus tuiteam na chadal a-rithist nuair
a chuala e fuaim einnsean bàta fad às.
Shuidh e an àirde anns a' bhad. Choimhead e
ri Donaidh. Bha esan fhathast na shuain.
Shìn e a-null agus phut e e air a shocair. Cha
do dhùisg Donaidh. Phut e a-rithist e,
beagan na bu chruaidhe an turas seo, agus
dhùisg Donaidh anns a' bhad.
"Dè tha thu ag iarraidh?" arsa Donaidh.
"Ist. Chuala mi fuaim einnsean bàta. Eisd.
A bheil thu ga chluinntinn?" arsa Seòras ann
an guth ìosal.

66

Shuidh Donaidh ag èisdeachd airson mionaid.
"Tha thu ceart. An dùil an e Tònaidh agus
Pòl a th' ann a' tilleadh?"
"Cha chreid mi gur e. Cha robh dùil aca
tilleadh an seo airson dhà no trì lathaichean,"
arsa Seòras. "Dè an uair a tha e?"

Bhrùth Donaidh putan an t-solais air
uaireadair agus thuirt e, "Tha e deich
mionaidean gu uair. Siuthad, cuir ort do
chuid aodaich agus thèid sinn a dh'fhaicinn
cò th' ann. Na dùisg a' chlann-nighean idir."

Rinn iad sin agus thug iad leotha an
toirds. Cha robh feum aca oirre, oir bha
gealach ann agus dhèanadh iad an slighe às a
h-aonais. Rinn iad an slighe gu crìoch
a' bhaile far am faiceadh iad am bàgh agus
an cidhe. Bha solais anns a' bhàgh.
"Bha mi ceart. Seall na solais. Cha chreid mi
nach eil dà bhàta ann," arsa Seòras.
"Chan eil mi ag ràdh nach eil thu ceart,"
fhreagair Donaidh. "Cha dèan mi a-mach dè
an seòrsa bhàtaichean a th' ann oir tha e cho
dorcha. Thugainn sìos chun a' chidhe agus 's
dòcha gum faic sinn nas fheàrr."

Dh'fhalbh iad sìos ach cha dèanadh iad
mòran a-mach an sin a bharrachd.
"Cha chreid mi nach e dà yacht a th' ann,"
arsa Donaidh.
"Tha e duilich a ràdh," arsa Seòras. "Tha mi

a' creidsinn gur e."

An uairsin chuala iad fuaim outboard agus chunnaic iad geòla a' fàgail nam bàtaichean.

"Thugainn air falach," arsa Donaidh. "Chan eil mi airson an còrr a cheistean a fhreagairt mun àm seo a dh'oidhch'."

Chaidh iad air falach am measg chlachan mòra a bha mu cheud slat bhon chidhe agus dh'fhuirich iad an sin gu math sàmhach. Cha b' fhada gus an do ràinig a' gheòla an cidhe agus leum fear air tìr agus cheangail e an àirde i. Nuair a stad an einnsean thàinig triùir eile air tìr. Bha an oidhche cho balbh 's gun cluinneadh na balaich a' chuid bu mhotha de na bha iad ag ràdh.

"Tha na daoine ud a' campachadh an seo fhathast," arsa fear anns a' Bheurla. "Tha a' gheòla aca an seo fhathast."

"Caidilidh iad fad na h-oidhche co-dhiù. Fhuair iad air cadal a-raoir nuair a bha thusa a' slacadaich timcheall an t-seann bhaile. Thugainn, tha obair againn ri dhèanamh," arsa fear eile.

Dh'fhalbh an ceathrar sìos chun na geòla.

"'S e iadsan a leag am peile bùrn," arsa Seòras. "'S cha chuala sinne càil."

"Ist," arsa Donaidh. "Cha chaomh leam idir iad. Chì sinn dè an obair a th' aca ri dhèanamh. Chan e càil math a bhitheas ann co-dhiù mun àm seo a dh'oidhch'."

Cha b' fhada gus an do thill na daoine an àirde agus poca am fear aca. Stad iad a' bruidhinn air a' chidhe airson greiseag ach cha dèanadh na balaich a-mach dè bha iad ag ràdh, oir bha iad a' bruidhinn gu math ìosal. Ann a dhà no trì mhionaidean chaidh iad sìos chun na gainmhich agus thòisich iad a' coiseachd a-null gu na creagan aig ceann thall na tràghad.

"An lean sinn iad?" arsa Seòras gu h-ìosal. "Leanaidh," arsa Donaidh. "Ach cha tèid sinn sìos chun na tràghad idir gun fhios nach fhaic iad làrach ar casan anns a' ghainmhich nuair a thilleas iad. Leanaidh sinn iad air a' mhachair. Tha sluic gu leòr an sin faisg air an tràigh far am faod sinn falach."

Lean na balaich iad air an socair. Dh'fhuirich iad pìos math às an dèidh gus nach faiceadh iad iad. Bha e gu math furasta an cumail nan sealladh oir bha an oidhche gu math soilleir ri solas na gealaich.

"An dùil càit a bheil iad a' dol?" arsa Seòras ann an ceann beagan ùine.

"Chan eil fhios agam," arsa Donaidh. "Gar bith càit a bheil iad a' dol chuirinn geall gum

falaich iad na pocannan sin. An dùil
dè th' annta?"
"Stad," arsa Seòras gu cabhagach, 's e
a' slaodadh Donaidh chun na talmhainn.
"Tha iad air stad."

"S iad a bha, ach cha robh iad ach
a' leigeil an anail. Ann an ceann mionaid no
dhà dh'fhalbh iad a-rithist.
"Cha chreid mi gum faca iad sinn," arsa
Donaidh. "Gar bith dè th' aca anns na
pocannan tha iad gu math trom."
"An dùil an e airgead no rudan luachmhor
mar òr a th' annta?" arsa Seòras.
"Dh'fhaodadh gur e meìrlich a th' annta,"
arsa Donaidh. "'S tha iad a' dol a dh'fhalach
na ghoid iad an seo gus an sguir na poilis gan
lorg."
"Mas e, feumaidh sinne innse dha na poilis,"
arsa Seòras.
"Feumaidh sinn a bhith cinnteach an
toiseach. Chì sinn an toiseach an ann a' dol a
dh'fhalach nam pocannan a tha iad, agus mas
ann tillidh sinn nuair a dh'fhalbhas iad agus
chì sinn dè th' annta," arsa Donaidh.
"Thugainn mus tèid iad às ar sealladh," arsa
Seòras.

Lean na balaich na daoine gus an
d' ràinig iad bonn nan creag. Stad an
ceathrar an sin. Cha robh e furasta dha na

balaich am faicinn a-nis, oir bha e cho dorcha ann am faileas nan creag.

"An tèid sinn nas fhaisge?" arsa Seòras. "Tha e gu math duilich càil fhaicinn às an seo."

"Cha tèid mus faic iad sinn," arsa Donaidh. "Feuchaidh sinn ris nas urrainn dhuinn fhaicinn às a-seo."

Dh'fhuirich na balaich nan crùban far an robh iad 's iad a' cumail sùil gheur air na daoine a bha nan seasamh còmhla aig bonn nan creag. Cha dèanadh iad a-mach facal a bha iad ag ràdh le fuaim nan tonn a' briseadh air an tràigh. Ann an ceann mionaid no dhà chunnaic iad dà sholas toirds a' dol thuige agus ghluais na daoine na b' fhaisge air na creagan. Cha b' fhada gus an deach na solais às.

"An do chuir iad dheth na toirdsichean?" arsa Seòras.

"Cha chreid mi gun do chuir. 'S ann a tha iad air a dhol a-steach a dh'uaimh an sin. Seall, chì thu boillseadh solais gu math fann an sin," fhreagair Donaidh.

"Chì. Tha thu ceart. Cha robh fios agam gu robh uaimh an sin," arsa Seòras.

"Uill, cha robh sinn a-riamh cho fada a-bhos an tràigh ri seo. Lorgaidh sinn a-rithist a-màireach i agus thèid sinn a-steach. Tha cho math fuireach a-nis gus an till iad gus am

faic sinn a bheil na pocannan aca," arsa
Donaidh.

Dh'fhuirich na balaich nan sìneadh air
a' mhachair airson cairteal na h-uarach.
"An dùil dè tha iad a' dèanamh?" arsa Seòras
an ceann beagan ùine. "Tha iad a' toirt greis
mhath a-staigh an sin."
"Ist, cha chreid mi nach eil mi a' faicinn solas
a' tighinn gu beul na h-uaimhe," arsa
Donaidh.

Dh'fhuirich iad an sin gu sàmhach. Bha
Donaidh ceart agus cha b' fhada gus am faca
iad solais an dà thoirds aig bonn na creig
a-rithist. Chaidh an dà sholas às agus cha
b' fhada gus am faca na balaich an ceathrar
a' coiseachd a-null an tràigh a-rithist ann an
solas na gealaich. Cha robh na pocannan
idir aca.
"Tha iad air na pocannan a chur air falach
anns an uaimh," arsa Donaidh gu h-ìosal.
"Leanaidh sinn air ais iad gus am faic sinn
am falbh iad."

Lean na balaich iad air ais chun
a' chidhe agus chrùb iad am measg nan clach
a-rithist. Bha na daoine a' bruidhinn gu
nàdarra a-nis agus chluinneadh na balaich
na bha iad ag ràdh.
"Uill, siud agaibh siud air a stòradh," arsa
fear dhiubh anns a' Bheurla.

"Tha mi an dòchas nach ruig an làn air," ars am fear ri thaobh.

"Cha chreid mi gun ruig. Uill, tha e a' fàs anmoch. B' fheàrr dhuinn falbh às a-seo mus tig solas an latha. Siuthadaibh, greasaibh oirbh ma tha sinn a' dol a choinneachadh ri Jimmy air Tìr-Mòr an ath-oidhch'," ars a' chiad fhear.

Dh'fhalbh iad uile sìos an staidhre chun na geòla agus cha b' fhada gus an robh iad air an slighe a-mach gu na bàtaichean.

"Thugainn air ais," arsa Seòras. "Tha an cadal orm."

"Fuirich gus am faic sinn a' falbh iad," arsa Donaidh. "Tha mi airson a bhith cinnteach gu bheil dà bhàta ann."

Dh'fhuirich iad agus bha dà bhàta ann gun teagamh. Sheòl iad a-mach às a' bhàgh agus às an t-sealladh.

"An dùisg sinn a' chlann-nighean?" arsa Seòras.

"Cha dhùisg. Fàg gu madainn e agus chì sinn dè nì sinn an uairsin," arsa Donaidh.

Rinn an dithis an slighe air ais chun a' bhaile agus an teanta.

"Tha e fichead mionaid an dèidh trì," arsa Donaidh a' dol a bhroinn an sleeping bag.

"Tha cho math cadal. Oidhche mhath."

"Oidhche mhath," arsa Seòras gu cadalach.

74

8. ANNS AN UAIMH

B' e Catrìona ag èigheach riutha a' chiad rud a chuala na balaich an ath mhadainn. "Siuthadaibh, dùisgibh. Tha ur bracaist deiseil. An ann nur dùisg fad na h-oidhch' a bha sibh?"

Dh'fhosgail Seòras doras na teanta. "Tha sinn a' tighinn," ars esan.

Chuir na balaich orra an cuid aodaich agus chaidh iad a-null chun na bothaig far an robh a' chlann-nighean. "Chaidil sinn greis mhath den mhadainn," arsa Donaidh. "Tha e fichead mionaid gu aon uair deug." "Bha adhbhar againn," arsa Seòras, a' cuimhneachadh air na thachair an oidhche roimhe. "Ach dè dh'fhàg a' chlann-nighean cho fada gun èirigh?"

Bha a' chlann-nighean air a bhith an

75

àirde airson uair a thìde mus do dhùisg iad
na balaich. Dh'iarr Eilidh air Catrìona am
fàgail nan cadal gus am bitheadh am bracaist
deiseil, oir bha i a' smaoineachadh gum
bitheadh iad sgìth as dèidh na rinn iad an
latha roimhe.

"Uill, dè bu choireach gu robh sibh cho fada
gun èirigh?" ars Eilidh 's i a' toirt am bracaist
dhaibh.

"Dè am plana a th' agaibh airson an là
an-diugh?" arsa Catrìona mus d'fhuair na
balaich air Eilidh a fhreagairt.

"B' fheàrr dhuinn innse dhuibh mun oidhche
raoir an toiseach," arsa Donaidh, 's thòisich e
ag innse na sgeòil le beagan cuideachaidh bho
Sheòras an-dràsda 's a-rithist.

Dh'èisd a' chlann-nighean riutha 's gun
iad ag ràdh guth. Nuair a bha na balaich air
a h-uile càil innse dhaibh thuirt Eilidh, "Tha
sin uabhasach duilich a chreidsinn. A bheil
sibh cinnteach nach ann nur cadal a chunnaic
sibh seo?"

"Tha gu deimhinne," arsa Seòras gu feargach.
"Mur eil sibh gar creidsinn thigibh a-null
chun na h-uaimhe còmhla ruinn agus
seallaidh sinn na pocannan dhuibh."

"Ceart gu leòr," ars Eilidh. "Cha robh mi ach
a' tarraing do chois."

"Eisd," arsa Catrìona. "Einnsean bàta."

Ruith iad sìos gu crìoch a' bhaile agus chunnaic iad geòla a' tighinn a-steach dhan bhàgh.

"'S e Cailean a th' ann," arsa Seòras. "Cha robh cuimhne agam gum bitheadh cuideigin a' tighinn a-nall a dh'fhaicinn an robh feum againn air càil."

"Na canadh duine guth ris mun rud a chunnaic sinn a-raoir gus am bi sinn cinnteach mun stuth a bh' aca. Nam bitheadh fios aca air aig an taigh chan fhaodadh sinn fuireach an seo," arsa Donaidh.

"Thugainn sìos chun a' chidhe na choinneamh," arsa Catrìona.

Chaidh an ceathrar sìos agus bha iad nan seasamh air a' chidhe nuair a ràinig Cailean. Nuair a cheangail iad an àirde a' gheòla thàinig Cailean air tìr le baga plastaig.

"Feumaidh e bhith nach robh sibh ro fhada air falbh nuair a chuala sibh a' tighinn mi. Seo, a Chatriona, siud biadh a chuir Mamaidh a-nall thugaibh," arsa Cailean.

"A bheil càil às ùr aig an taigh?" arsa Seòras.

"Chan eil. Ciamar a tha dol dhuibh fhèin an seo?" fhreagair Cailean.

"Tha glè mhath," fhreagair Donaidh, 's an uairsin thòisich Seòras ag innse dha

77

bhràthair mun yacht agus na daoine ris an robh iad a' bruidhinn agus mar a bha iad a-muigh air a' yacht.

"Seadh, tha mi ag aithneachadh gun do chòrd sin riut," arsa Cailean. "A-nis, càit a bheil sibh a' campachadh?"

Choisich a' chlann suas chun a' bhaile còmhla ri Cailean. Nuair a ràinig iad thabhaich Eilidh cupan teatha air, agus nuair a bha i deiseil shuidh iad air an liana am measg nan tobhtaichean ga h-òl.

"Cuin a tha sibh a' tighinn dhachaigh?" dh'fhaighnich Cailean.

"Chan eil gu feum sinn a dhol air ais dhan sgoil," arsa Catrìona. "Tha seo cho math."

"Fuirich thusa gus an cuir thu seachad oidhche gun chadal agus tuil uisge ann," arsa Cailean a' gàireachdainn.

Bha iad a' bruidhinn an-sin airson leth-uair a thìde gus an duirt Cailean gum feumadh e falbh. Chaidh na balaich sìos chun a' chidhe còmhla ris agus dh'fhuirich a' chlann-nighean a' nighe nan soithichean.

"Dè th' anns a' bhaga, a Chatrìona?" arsa Eilidh nuair a bha iad deiseil.

"Tha ùbhlan, punnd sausages, trì lofaichean, cnap hama fhuar agus tomatoes," fhreagair Catrìona. "An cuir mi dhan larder e?"

"Fàg aon lof agus na tomatoes, agus nì sinn

sandwiches airson ar turas an-diugh," ars
Eilidh.

Nuair a thill na balaich bha am biadh
deiseil aig a' chlann-nighean agus bha iad
deiseil airson falbh. Rinn iad an slighe a-null
an tràigh air a' ghainmheach gus an do ràinig
iad na creagan.

"Tha a h-uile càil a' coimhead cho
eadar-dhealaichte ann an solas an latha,"
arsa Seòras. "Cha chreid mi nach robh an
uaimh na b'fhaisge air a' mhuir. Thugainn
sìos. An tug thu leat toirds, a Dhonaidh?"

"Thug. Seall, an e siud beul na h-uaimhe
shìos an siud?" arsa Donaidh.

Chaidh an ceathrar sìos. 'S e beul na
h-uaimhe a bh' ann gun teagamh, agus 's e a
bha dorcha.

"An dùil dè fhad 's a tha e a' dol a-steach?"
arsa Eilidh.

"Chan eil air ach a dhol a dh'fhaicinn," arsa
Donaidh, a' toirt a-mach na toirds.

Lean an triùir eile a-steach e. Bha e
fuar, tais am broinn na h-uaimhe. Bha eagal
air Catrìona.

"Cha chaomh leam seo," ars ise. "Tha e a' cur
eagal orm."

"Thalla a-mach dhan ghrian agus fuirich
ruinn," arsa Seòras.

"Chan eil mi ag iarraidh," fhreagair i. "Tha

mi airson fuireach còmhla ruibh."

Rinn iad an slighe gu faiceallach a-steach dhan uaimh as dèidh Dhonaidh. Bha làr na h-uaimhe sleamhainn ach an dèidh leth-cheud slat thòisich iad a' dìreadh air an socair gus an ceann ùine nach robh feamainn idir ann. Cha robh duine ag ràdh guth. Mu dheireadh ràinig iad seòmar mòr farsaing am broinn na creige. Chur Donaidh an toirds timcheall nam ballachan ach cha robh e a' faicinn dòigh air a dhol air adhart. "'S e seo fhad 's a thèid sinn," arsa Donaidh. "Ach coisichidh sinn timcheall gun fhios nach do mhothaich sinn dha càil anns an dorchadas."

Rinn iad sin ach cha robh dòigh air am faigheadh iad seach seo. Ach càit an robh na pocannan?
"'S dòcha gu bheil leac nas àirde far an do dh'fhalaich iad iad," arsa Seòras mu dheireadh.
"Dh'fhaodadh gu bheil thu ceart," arsa Donaidh.

Sheas iad am meadhan na h-uaimhe agus lean iad solas na toirds timcheall.
"Stad," ars Eilidh. "Dè tha siud beagan chun an taobh cheàrr dhen doras air an tàinig sin a-steach."
"Tha e a' coimhead coltach ri leac. Fuirich

agus sreapaidh mi suas," arsa Donaidh.

Fhuair e air sreap an àirde furasta gu leòr agus nuair a ràinig e an leac chaidh e à sealladh an fheadhainn eile. Thill e ann an ceann mionaid agus dh'èigh e riutha, "Tha leac ann an seo agus sloc air a cùlaibh. Tha na pocannan a-seo. Trobhadaibh a-nuas agus chì sibh dè th' annta."

Chum e an torch riutha fhad 's a bha iad a' sreap an àirde. Bha an sloc mu cheud troigh a dh'fhad agus bha an sloc air a chùlaibh a' dol sìos trì troighean. Bha na ceithir pocannan an sin. Dh'fhairich Donaidh iad.

"Cha chreid mi gur e òr a th' annta. Tha am fear seo a' faireachdainn gu math bog," thuirt e ris an fheadhainn eile.

"Fosgail e," arsa Seòras gu cabhagach.

Rinn Donaidh sin agus thug e a-mach poca beag plastaig làn de phùdar geal mar min flùir.

"Dè tha sin?" ars Eilidh.

"Cha ghabhainn iongnadh ged a b' e drugaichean a bh' ann. Heroin no cocaine, tha mi a' creidsinn. Cha chreid mi nach eil fichead pacaid anns a' phoca seo fhèin," arsa Donaidh.

"Na fosgail an còrr. Cuir sin air ais agus ceangail an àirde am poca a-rithist mar a

fhuair thu e," arsa Seòras. "Thugainn
a-mach à seo."

Rinn an ceathrar an slighe a-mach às an
uaimh dhan ghrian a-rithist. Bha solas na
grèine a' goirteachadh an sùilean as dèidh
dorchadas na h-uaimhe. Choisich iad pìos
a-null an tràigh mus do shuidh iad air
a' ghainmheach.

"Dè tha sinn a' dol a dhèanamh?" arsa Eilidh.

"Cha chreid mi nach bu chòir dhuinn fios a
leigeil gu na poilis," arsa Donaidh. "'S e
daoine cunnartach a th' anns na daoine a
bhitheas a' gabhail gnothach ri smuglaigeadh
dhrugaichean."

"An dùil co às a thug iad na drugaichean?"
arsa Catrìona.

"Tha mi a' creidsinn gun tàinig iad bho thall
thairis no thachair iad ri bàta bho àiteigin
thall thairis a-muigh anns a' chuan, agus tha
iad gam falach an seo gus am faigh iad air an
reic," arsa Donaidh.

"'S e daoine grànda dha-rìribh a bhitheas
a' reic dhrugaichean," arsa Seòras. "Bithidh
mi a' leughadh mun deidhinn anns
a' phàipear an-dràsda 's a-rithist agus 's e am
prìosan a gheibh iad ma thèid an glacadh."

"Thugainn. Thèid sinn dhachaigh leis
a' gheòla agus fònaidh sinn gu na poilis, ars
Eilidh.

"Ceart, ma-tha,"ars Donaidh.

Choisich an ceathrar gu cabhagach a-null chun a' chidhe. Nuair a ràinig iad a' gheòla chaidh Donaidh sìos an staidhre agus dh'fheuch e ris an einnsean a chur a dhol. Cha tigeadh bìog às. An ceann ùine choimhead e an robh peatroil ann agus cha robh boinne. Thog e an cana dearg a thug athair dha agus bha e cho aotrom 's nach leigeadh e a leas coimhead na bhroinn airson fhios a bhith aige gu robh e falamh. Choimead e timcheall na geòla. Cha robh innte ach aon ràmh. Dh'èigh e ris an fheadhainn eile, "Chan eil peatroil air fhàgail innte agus tha iad air falbh le aon de na ràimh. Chan fhaigh sinn air falbh bhon eilean."

"'S iad a bha seòlta," arsa Seòras. "Dè tha sin a' dol a dhèanamh a-nis? Chan eil Cailean a' tighinn gu Dihaoine agus chan eil ann an-diugh ach Diluain."

Shuidh a' chlann gu tùrsach air a' chidhe ag ithe nan sandwiches agus a' beachdachadh air an t-suidheachadh anns an robh iad.

"Chan eil càil air a shon ach a bhith mar a bha sinn," arsa Donaidh mu dheireadh.

"Gabhaidh sinn watch a-nochd ach am faic sinn an till iad. Nì mi fhèin agus Catrìona

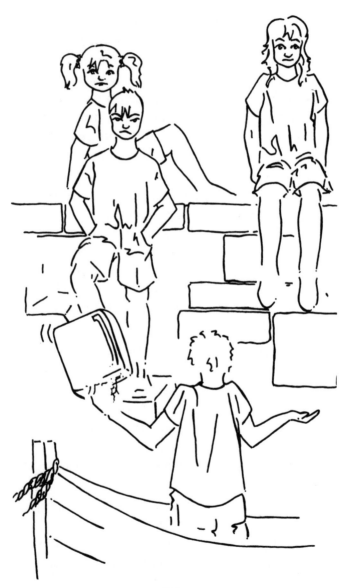

a' chiad watch eadar meadhan-oidhche agus
dà uair sa mhadainn agus nì thusa, a
Sheòrais, is Eilidh a' watch eadar a dhà 's a
ceithir."

"Ceart, ma-tha," arsa càch còmhla.

Chuir iad seachad an còrr dhen latha
a' snàmh agus a' cluich air an tràigh. Chaidh
iad dhan leabaidh tràth oir bha aca ri bhith
an àirde tron oidhche.

Aig deich mionaidean gu meadhan-
oidhche dhùisg Donaidh Catrìona. Cha do
thachair càil fhad 's a bha iadsan air faire,
agus cha bu mhotha a thachair càil fhad 's a
bha Seòras agus Eilidh air faire. As dèidh na
watch chaidil iad uile gu madainn.

9. AN TEINE

S ann gu math tùrsach a bha an ceathrar a' gabhail am bracaist an ath mhadainn.

"Uill, chan eil fhios cuin a thilleas iad. Tha na drugaichean a dh'fhalaich iad sàbhailte gu leòr an siud. Cha ruig am muir orra mura bi fìor dhroch mhuir agus làn àrd ann, agus chan eil a choltas air gun tachair sinn," arsa Donaidh.

"'S e 's duilich dhuinn nach fhaigh sinn fios gu na poilis. Chan fhaigh sinn far an eilein seo air dòigh sam bith," arsa Eilidh.

"B' fheàrr leam gu robh sinn air innse do Chailean an-dè gu robh na daoine ud air rudeigin fhalach anns an uaimh," arsa Catrìona. "Bhitheadh fhios aigesan dè bu chòir dhuinn a dhèanamh."

"Tha sin furasta gu leòr a ràdh a-nis ach bha

sinn den bheachd gun dèanadh sinn fhèin
a' chùis. Cha robh fhios againn an uairsin
nach robh peatroil na ràimh againn anns
a' gheòla," fhreagair Donaidh.

"Dè nì sinn ma thilleas iad?" dh'fhaighnich
Seòras.

"Feumaidh sinn fuireach air watch a-nochd
a-rithist. Cha do chuimhnich mi chun a-seo
gu robh iad a' coinneachadh ri cuideigin air
Tìr-Mòr a-raoir. Mas ann air tìr-mòr Alba an
àite Leòdhais a tha iad a' coinneachadh ris,
cha bhi iad air ais nas luaithe na a-nochd,"
arsa Donaidh.

"Am bu chòir dhuinn an stuth a chur air
falach?" dh'fhaighnich Seòras.

"Cha bu chòir. Ma thilleas iad agus nach eil e
an sin 's ann oirnne a chuireas iad a' choire,
agus chan urrainn dhuinn teicheadh às a-seo.
Chan eil fhios dè a thachradh dhuinn nan
dèanadh sinn sin," arsa Donaidh.

Ghabh an triùir eile eagal leis a-seo.
"Tha mise ag iarraidh dhachaigh," arsa
Catrìona 's i a' rànail.

"Na bi cho gòrach," arsa Seòras. "Cha bhi càil
a dh'fhios aca gun do lorg sinne càil."

Shuidh iad an sin gu sàmhach airson
dhà no trì mhionaidean. Bha iad uile
a' smaoineachadh air an t-suidheachadh anns
an robh iad.

"Dè mu dheidhinn teine mòr a lasadh a chitheadh iad aig an taigh?" arsa Seòras. "Dh'fheumadh e a bhith aig ceann a tuath an eilein, ach nam b' ann air an oidhche a bhitheadh e tha cunnart ann gum faiceadh na daoine ud e agus bhitheadh fios aca an uairsin gu bheil fios againne nach eil peatroil againn. Bhitheadh sin ro chunnartach," arsa Donaidh.

"'S dòcha gum bitheadh iad a' smaoineachadh gun do lorg sinn na drugaichean cuideachd," ars Eilidh.

Shuidh Donaidh a' smaoineachadh airson mionaid mus duirt e, "Ta, dh'fhaodadh sinne teine a lasadh tron latha agus chitheadh iad a' cheò ag èirigh aig an taigh. 'S dòcha gun tig cuideigin a-nall. Eilidh, càit a bheil na maidseachan? Thalla agus faigh iad agus dhà no trì phàipearan. Bheir sinn leinn pàirt den fhiodh a chruinnich sinn agus gheibh sinn tuilleadh air an tràigh on tha i nas fhaisge."

Cha robh iad fada a' cruinneachadh na bha iad a' feumachdainn. Chuir Eilidh aran, càise agus ubhlan ann am baga gus am bitheadh rud aca a dh'itheadh iad fhad 's a bha iad a' feitheamh gus am faiceadh iad an tigeadh duine.

Nuair a ràinig iad ceann a tuath an

eilein thagh iad àite freagarrach airson teine
a lasadh air bàrr nan creag mus deach iad
sìos chun na tràghad.

"Cruinnichidh sinn nas urrainn dhuinn an
toiseach," arsa Donaidh. "Nì sinn càrn dheth
ann an seo agus nuair a tha sinn
a' smaoineachadh gu bheil gu leòr againn
bheir sinn suas e."

Cha do lorg iad mòran a ghabhadh
losgadh air an tràigh fhèin, ach gu fortanach
bha an làn a-muigh agus chaidh iad timcheall
air gob creagach gu mol beag. Bha pìosan
fiodh, bucais èisg agus botail agus
canastairean plastaig gu leòr an sin a
dhèanadh teine dhaibh.

Ann an ceann uair a thìde bha càrn gu
math mòr aca air an tràigh, agus thuirt
Donaidh gu robh pailteas aca agus gum
b' fheàrr dhaibh a thoirt suas gu bàrr nan
creag. Cha robh sin cho furasta 's a bha dùil
aca. Bha cairteal na h-uarach de choiseachd
aca leis gach ultach agus thug iad còrr agus
uair a thìde gu leth mus robh a h-uile càil
shuas aca. An uairsin thòisich iad ri teine a
chur ris.

"Tòisichidh sinn le teine beag agus an uairsin
nuair a tha e a' gabhail cuiridh sinn an còrr
air," arsa Donaidh.

"Glè mhath," arsa Seòras.

"Dè an uair a tha e?"

"Tha e leth-uair an dèidh dhà," fhreagair Donaidh.

Nuair a bha an teine air gabhail agus a bha h-uile càil a ghabhadh losgadh air a chur air, shuidh a' chlann ag ithe am biadh agus a' coimhead airson bàta a' tighinn a-nall bhon taigh.

Aig cairteal gu ceithir thuirt Seòras, "Tha an teine gu bhith às agus chan eil duine a' tighinn. Cha chreid mi gun do dh'obraich siud."

"Cha chreid mi gun do dh'obraich," arsa Donaidh. "Tha cho math dhuinn a dhol air ais chun a' bhaile. Chan eil fiù 's eathar nar fianais ag iasgach. Dè nì sinn a-nis?"

Cha duirt càch càil. Cha robh fios aca dè dhèanadh iad a-nis. Choisich iad air ais gu math tùrsach 's gun iad ag ràdh mòran. "B' fheàrr leam gun tigeadh Tònaidh agus a bhràthair," arsa Seòras. "Bheireadh iadsan dhachaigh sinn anns a' yacht."

"Ist, amadain. Chan eil cinnt sam bith againn nach robh iadsan am measg nan daoine ud. 'S e Sasannaich a bh' annta gu lèir agus chan fhaiceadh sinn cò iad anns an dorchadas," arsa Donaidh.

Chuir seo eagal air a' chlann-nighean. "'S cinnteach nach robh. Bha iad cho snog,"

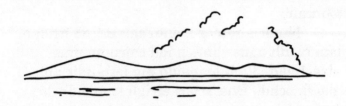

91

arsa Catrìona.

"Chan eil càil a dh'fhios," arsa Donaidh air a shocair.

Nuair a ràinig iad an campa, dh'ith iad am biadh agus chluich iad cairtean mus deach iad dhan leabaidh aig leth-uair an dèidh ochd. Bha aca ri èirigh tron oidhche sin a-rithist.

Dhùisg Donaidh Seòras aig deich mionaidean gu meadhan-oidhche, oir bha Seòras agus Eilidh a' dèanamh a' chiad watch an oidhche sin.

"Feuch gun dùisg thu mi cho luath agus a chì thu iad a' tighinn a-steach dhan bhàgh," arsa Donaidh ri Seòras nuair a bha e a' falbh a-mach a dhùsgadh Eilidh.

"Ceart, ma-tha," fhreagair Seòras. "Mura faic dùisgidh mi thu aig a dhà."

Chuir Seòras agus Eilidh seachad a' watch aca fhèin agus nuair a chaidh iad a dhùsgadh an dithis eile cha robh càil aca ri innse.

"'S dòcha gun tig iad nuair a bhitheas sinne air watch," arsa Catrìona ri Donaidh nuair a dh'fhalbh an dithis eile air ais chun nan teantaichean.

Ach cha tàinig duine agus dh'fhalbh an dithis air ais dhan sleeping bags aig ceithir uairean sa mhadainn. Bha iad a' faireachdainn rud beag duilich nach tàinig duine, agus aig a' cheart àm bha iad taingeil, oir 's dòcha gun tigeadh Cailean no cuideigin a leigeadh fios gu na poilis an ath latha.

10. NA BATAICHEAN
A' TILLEADH

Dh'èirich an ceathrar mu dheich uairean
an ath mhadainn. Shuidh iad aig doras na
bothaig ag ithe am bracaist agus a' bruidhinn
air an oidhche roimhe.
"Chan eil fios cuin a thilleas iad," arsa
Seòras. "Ged a tha fios againn gu robh iad
a' coinneachadh ri cuideigin air Tìr-Mòr, cha
duirt iad gu robh iad a' tilleadh an seo."
"Tha sin ceart gu leòr, ach chuirinn geall gur
ann a' dol a dhèanamh deal ri Jimmy mu na
drugaichean a bha iad," arsa Donaidh. "Cha
shaoilinn gum bitheadh iad airson na
drugaichean fhàgail anns an uaimh ro fhada
mus milleadh am muir iad. Bithidh luach
mhòr airgid anns na tha siud."
"Faodaidh iad tilleadh uair sam bith agus

94

chan fhaigh sinne às a-seo," arsa Catrìona.
"Tha dà latha eile mus till Cailean
cuideachd."

"An tèid sinn cuairt gu ceann a tuath an
eilein a dh'fhaicinn am faic sinn bàt'-iasgaich
no cuideigin às a' bhaile againn fhèin ag
iasgach ann an geòla?" dh'fhaighnich Eilidh.
"Tha mi a' creidsinn gu bheil sin cho math ri
bhith nar suidhe ann an seo," arsa Donaidh.
"Carson a thagh na daoine ud an t-eilean
seo?" arsa Catrìona gu brònach. "Tha iad air
na làithean-saora againn a mhilleadh."
"Siuthadaibh, ma-tha. Tha cho math dhuinn
biadh a thoirt leinn a-rithist. Cuidichidh a
h-uile duine Eilidh ga ullachadh," arsa
Donaidh.

Nuair a bha iad deiseil, mu leth-uair an
dèidh aon uair deug, dh'fhalbh iad suas taobh
a deas an eilein a-rithist. Bha iad
a' coiseachd air an socair, oir bha an latha
cho teth 's cha mhòr gu robh oiteag gaoith'
ann. Cha robh iad air a dhol astar sam bith
nuair a chunnaic iad geòla eadar iad 's an
taigh.
"Tha i ro fhada air falbh airson ar faicinn,"
arsa Donaidh. "Suidhidh sinn a-seo gus am
faic sinn an tig i nas fhaisge."

Shuidh iad an sin ga coimhead agus bha
i a' tighinn na b' fhaisge gun teagamh. Ann

an ceann leth-uair a thìde thuirt Seòras, "An
dùil am faic iad sinn? Cha chreid mise nach
eil dithis innte, ach tha e duilich an dèanamh
a-mach leis a' ghrian air a' mhuir. An tòisich
sinn ag èigheach agus a' smèideadh riutha?"
"Tha mi a' creidsinn. An dùil cò iad?" arsa
Donaidh.

Cha d'fhuair e air an còrr a ràdh, oir bha
an triùir eile ag èigheach agus a' smèideadh
ris na h-iasgairean mar a b' urrainn dhan
cuirp. Bha an latha cho ciùin 's gu robh e
furasta dha na h-iasgairean an cluinntinn.
Nuair a chunnaic iad a' chlann 's ann a
thòisich iad a' smèideadh air ais riutha. Ann
an ceann còig mionaidean den seo 's ann a
chuala a' chlann einnsean na geòla
a' tòiseachadh agus na daoine a' smèideadh
aon uair eile.
"Tha iad a' tighinn," arsa Seòras 's e air bhoil.
"Cha chreid mi nach e eathar Chaluim
Eachainn a th' ann."

Sheas iad ga coimhead agus ann an
ceann mionaid no dhà thuig iad nach robh an
eathar a' tilleadh chun an eilein. 'S ann a
bha iad a' dèanamh air an taigh. Thòisich
a' chlann ag èigheach a-rithist nuair a
chunnaic iad seo.
"Haoi … Haoi … Tillibh … Haoi … Haoi."
Ach cha do rinn an èigheach feum, oir

cha chluinneadh an fheadhainn a bh' anns an
eathar iad le fuaim an einnsean. Cha
b' fhada gus an deach an eathar às an
sealladh timcheall an rubha.

"Tha iad air ar fàgail agus air a dhol
dhachaigh," arsa Catrìona, 's i a' tòiseachadh
a' rànail a-rithist.

"Bi sàmhach," arsa Seòras rithe. "Bha dùil
agamsa gur ann a' tighinn a bha iad. Bha
dùil agam gu robh iad air ar cluinntinn."

"O, chuala iad sinn ceart gu leòr ach cha do
thuig iad sinn. Cha do rinn iad a-mach an
rud a bha sinn ag èigheach riutha. Mas ann
às a' bhaile againn fhèin a bha iad, bhitheadh
fios aca gu robh sinn an seo agus cha
shaoileadh iad gum bitheadh càil ceàrr nam
bitheadh sinn a' smèideadh riutha," arsa
Donaidh.

"Uill, tha cho math dhuinn fuireach gus am
faic sinn an tachair càil no an tig eathar eile,"
arsa Seòras. "A bheil am biadh an sin? Tha
cho math ithe fhad 's a tha sinn
a' feitheamh."

Thug e am biadh às a' bhaga ach cha
deach a dhàrna leth ithe. Bha iad uile cho
tàmailteach nach tàinig an eathar gan
iarraidh. An ceann uair a thìde, nuair nach
do thill i, thuirt Donaidh, "Tha cho math
dhuinn a dhol air ais chun a' bhaile agus

tillidh sinn air ais an seo feasgar agus 's dòcha gum bi cuideigin eile ag iasgach an uairsin."

Rinn iad an slighe air ais chun a' bhaile gu math slaodach. Nuair a thàinig iad am fianais a' bhaile 's ann a chunnaic iad yacht a' tighinn a-steach an caolas agus stad iad uile far an robh iad.

"An dùil an e seo na daoine ud a' tilleadh?" ars Eilidh gu h-eagalach.

"Tha e duilich a ràdh o nach fhaca sinn a' yacht ris an latha chun a-seo," fhreagair Donaidh. "Fàgaidh sinn am baga leis a' bhiadh anns a' bhothaig agus thèid sinn sìos chun a' chidhe a dh'fhaicinn an e iadsan a th' ann."

Cha robh iad fada sam bith a' dèanamh sin agus nuair a ràinig iad an cidhe bha an yacht air acrachadh sa bhàgh. Bha aire na cloinne cho mòr air an yacht sin agus nach do mhothaich iad dha tèile a' tighinn a-steach an caolas gus an robh i anns a' bhàgh.

"Seall," arsa Seòras. "Seo an tèile. 'S iad a th' ann gun teagamh."

"Chan urrainn dhut a bhith cho cinnteach ri sin," arsa Donaidh ris. "Chan fhaca sinn iad ach ris an oidhche. Tha aon rud cinnteach, chan e Tònaidh agus Pòl a th' ann. A-nis na leigeadh duine càil orra mun rud a chunnaic sinn an oidhch' eile gun fhios nach e muinntir nan drugaichean a th' ann."

Bha e a-nis beagan as dèidh trì uairean feasgar agus chaidh a' chlann sìos chun na tràghad. Bha Donaidh a' smaoineachadh gu robh e cho math dhaibh iad fhèin a shealltainn, oir bha fios aig na daoine gu robh iad an sin co-dhiù. Nam faiceadh na daoine air an dà yacht a' chlann a' cluiche mar bu chòir dhaibh air an tràigh, shaoileadh iad nach robh càil ceàrr.

Bha an ceathrar trang a' togail caisteal anns a' ghainmheach nuair a chuala iad fuaim outboard.

"Seo iad a' tighinn," arsa Seòras. "Dè 's còir dhuinn a dhèanamh a-nis?"

"Dìreach cumail a' dol mar a tha sinn," fhreagair Donaidh. "Ma thig iad a' bhruidhinn ruinn feuch gum bi sibh cho nàdarrach 's a bha sibh ri Tònaidh agus Pòl."

Cha b' fhada gus an do stad an einnsean, agus ann a dhà no trì mhionaidean chunnaic a' chlann triùir nan seasamh air bàrr a' chidhe.

"Seo iad," ars Eilidh air a socair. "An tèid sinn a-null far a bheil iad."

Mus do fhreagair duine chuala iad na daoine ag èigheach orra, "Haoi, thigibh an seo mionaid."

Cha do fhreagair duine den cheathrar ach rinn iad an slighe suas chun a' chidhe mar a chaidh iarraidh orra. Nuair a ràinig iad thuirt fear riutha anns a' Bheurla, "Cha robh dùil agam daoine fhaicinn an seo. A bheil sibh a-bhos airson an latha?"

"Chan eil," fhreagair Donaidh. "Tha sinn a' campachadh an seo airson seachdain no dhà. Tha na teantaichean againn shuas anns an t-seann bhaile."

"Glè mhath. Bithidh fhios agaibh càit am faigh sinn bùrn a-rèisd," arsa an duine a-rithist.

"Seallaidh sinn an tobar dhuibh," fhreagair Donaidh.

Dh'fhalbh a' chlann suas chun a' bhaile còmhla riutha. Sheall iad an tobar dhaibh, agus nuair a lìon na daoine na canastairean a bh' aca thòisich iad a' ceasnachadh na cloinne. Dh'fhaighnich iad ceistean mar "Am faca sibh mòran bhàtaichean an seo? Am bi mòran ag acrachadh anns a' bhàgh mar a tha sinne? Dè fhad 's a bha sibh air an eilean? Ciamar a fhuair sibh ann? Am faca sibh duine air an eilean?"

Fhreagair a' chlann na ceistean gu modhail. Cha do chuir iad iongantas sam bith orra, oir bha Tònaidh agus Pòl air na h-aon seòrsa cheistean fhaighneachd dhaibh.

'S ann nuair a dh'fhaighnich fear dhaibh,
"A bheil na teantaichean agaibh cofhurtail?
A bheil e duilich cadal air an talamh
chruaidh?" a ghabh Donaidh amharas gu
robh na daoine a' feuchainn ri faighinn
a-mach an robh iad a' cadal tron oidhche agus
an robh cunnart ann gun èireadh iad tron
oidhche agus gum faiceadh iad rudeigin.
"Tha iad glè chofhurtail," fhreagair Donaidh.
"Tha sinn air fraoch a chruinneachadh agus
tha sin fo na sleeping bags againn. Chan eil
droch oidhche air a bhith againn fhathast."
"Glè mhath," thuirt an duine. "Uill,
feumaidh sinne a bhith a' dol air ais chun
nam bàtaichean leis a' bhùrn. 'S dòcha gum
faic sinn a-rithist sibh."
"Dè fhad 's a tha sibh a' fuireach?" arsa
Seòras gu dàna.
"Latha no dhà," fhreagair fear eile. "Tha e a
rèir 's ciamar a tha an t-sìde. Cheerio."
"Cheerio," ars a' chlann.
      Nuair a bha na daoine air falbh rinn
a' chlann an slighe air ais chun na bothaig.
"Cha bu chaomh leam idir iad," arsa Eilidh.
"Cha robh iad cho snog ri Tònaidh agus Pòl
idir, agus bha am fear ud le na speuclairean
dubha nach do bhruidhinn idir neònach."
"'S e sin an duine a chuir eagal ormsa ann am
bùth Mhurchaidh an latha a bha sinn

a' ceannach biadh airson a thoirt a-nall an seo," arsa Catrìona.

"Tha cuimhne agam air a-sin," arsa Donaidh. "'S e na ceistean ud, ge-ta. Bha iad nàdarrach gu leòr gus an do dh'fhaighnich e dhuinn ciamar a bha sinn a' cadal air an oidhche. Bha e mar gum bitheadh e a' feuchainn ri faighinn a-mach am faca no an cuala sinn càil de na bha iad a' dèanamh. Tha mi cinnteach gur e muinntir nan drugaichean a th' annta."

"'S iad," arsa Seòras. "An cuala tu e ag ràdh gum feumadh iad a dhol air ais chun nam bàtaichean leis a' bhùrn. Bha am bùrn airson an dà yacht. Feumaidh gu bheil an dà yacht còmhla."

"Tha thu ceart," arsa Donaidh. "Feumaidh sinn sùil a chumail orra a-nochd a-rithist. Cha dèan iad càil gum bi e dorch co-dhiù."

"'S math nach do leig thu càil ort mun gheòla nuair a dh'fhaighnich e ciamar a fhuair sinn an seo," ars Eilidh.

"Bha e a' feuchainn ri faighinn a-mach an robh càil ceàrr," fhreagair Donaidh. "Tha mi an dòchas gu bheil iad a-nise den bheachd nach eil sinne air càil neo-àbhaisteach fhaicinn. Thugainn sìos air ais chun na tràghad gus an cuir sinn crìoch air a' chaisteal ud gus am faic iad nach eil sinn a' dol dha fhàgail na bhloigh."

Dh'fhalbh iad sìos as dèidh am biadh. Bha iad a' cluich am fianais nam bàtaichean, chan ann a-mhàin gus am faiceadh na daoine iad ach gus an cumadh iadsan sùil mus tigeadh na daoine air tìr. Chaidh iad a chadal mu ochd uairean ach bha aig Donaidh agus Catrìona ri bhith an àirde cho luath 's a dh'fhàsadh e dorch mu aon uair deug.

11. GAN LEANTAINN

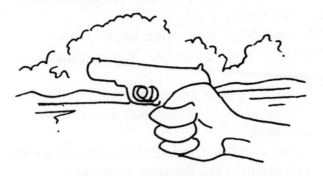

Aig aon uair deug dhùisg Donaidh
Catrìona agus rinn an dithis an slighe gu
crìoch a' bhaile. Chunnaic iad na solais anns
a' bhàgh far an robh an dà bhàta air acair.
"Fuirich thusa an seo agus nì mise mo
shlighe sìos chun a' chidhe gun fhios nach eil
iad an seo mu thràth," arsa Donaidh gu
h-ìosal ri Catrìona.

Dh'èalaidh Donaidh sìos chun a' chidhe
ach cha robh sgeul air geòla an sin. Chaidh e
air ais suas far an robh Catrìona.
"Cha tàinig iad air tìr fhathast. "S dòcha
gum bi iad a' feitheamh gus am bi an làn nas
ìsle na seo. Fuiridh sinn a-seo gus an cluinn
sinn fuaim an outboard aca," arsa Donaidh.

Shocraich an dithis iad fhèin an sin 's
iad a' cumail sùil air na solais anns a' bhàgh.
Bha iad a' cluinntinn dhaoine a' bruidhinn

an-dràsda 's a-rithist mar gum bitheadh eadar an dà bhàta, ged nach dèanadh iad a-mach facal.

"A bheil thu a' cluinntinn siud?" arsa Donaidh an ceann greis. "Fuaim mar dìosgail."

Dh'èisd Catrìona airson mionaid mus duirt i, "Tha, agus splais an-dràsda 's a-rithist cuideachd."

"'S e na ràimh a tha iad a' cleachdadh an àit' an einnsean. Thalla agus dùisg an fheadhainn eile anns a' bhad agus can riutha na teantaichean a dhùnadh mus tèid duine a choimhead a bheil sinn nam broinn. Chan fhosgail iad iad air eagal 's gun dùisg iad sinn," arsa Donaidh gu cabhagach.

Ruith Catrìona air ais chun a' bhaile agus ann a dhà no trì mhionaidean bha i air ais far an robh Donaidh agus an dithis eile còmhla rithe.

"An do dhùin sibh na teantaichean?" dh'fhaighnich Donaidh gu h-ìosal. "'S e na ràimh a th' aca an àit' an outboard air eagal 's gun cluinn sinn iad. Thugainn sìos a mheasg nan clach a-rithist gus an cluinn sinn na tha iad ag ràdh. Fuirichibh nar crùban mus tèid ar faicinn agus na dèanaibh fuaim sam bith."

Ràinig iad na clachan agus bha iad air

falach an sin mus do ràinig a' gheòla an
cidhe. Thàinig còignear air tìr an turas seo
agus chuala a' chlann am fear a bha
a' bruidhinn riutha am feasagar sin ag
iarraidh air fear eile a dhol a dhèanamh
cinnteach gu robh a' chlann anns na
teantaichean. Bha crith air a' chlann-
nighean leis an eagal.

    Ann an ceann còig mionaidean, ged a
bha a' chlann ga fhaireachdainn tòrr na
b' fhaide na sin, thill an duine agus thuirt e,
"Tha iad nan suain."
"Tha mi an dòchas nach do dhùisg thu iad,"
ars a' chiad fhear.
"Cha do dhùisg. Bha na teantaichean dùinte
agus cha robh càil ri chluinntinn."
"Tha mi an dòchas gu robh iad nam broinn.
"'S math nach do dh'fhosgail thu na
teantaichean. Dh'fhaodadh sin a bhith air an
dùsgadh. Ceart, seallaidh sinn dha Jimmy
far a bheil an stuth air falach," ars a' chiad
fhear a-rithist.

    Bha an oidhche gu math dorcha a-nis
agus cha robh gealach anns an adhar.
Dh'fhalbh na daoine a-null an tràigh le dà
thoirds.
"Leanaidh sinn iad ann am mionaid," arsa
Donaidh gu h-ìosal. "Leig leotha faighinn
pìos air thoiseach oirnn mus falbh

sinn às an dèidh."

"'S math gun do smaoinich thu air na teantaichean a dhùnadh," arsa Seòras ri Donaidh. "Chan eil fhios dè a bhitheadh air tachairt dhuinn nam bitheadh iad fosgailte."

"'S math," ars Eilidh. "Tha i cho dorcha a-nochd. Cha chreid mi nach eil an t-adhar gu math sgòthach, oir bha gealach ann a-raoir."

"Thugainn," arsa Donaidh. "Na bithibh a' bruidhinn mura feum sibh. Tha sinn fada gu leòr às an dèidh agus bithibh faiceallach nach tuit sibh agus nach dèan sibh fuaim sam bith a chluinneas iad."

Dh'fhalbh a' chlann a-null am machair as dèidh nan daoine. Bha iad gu math faiceallach anns an dorchadas air eagal 's gun dèanadh iad fuaim sam bith. Bha na solais nam fianais gus an d'ràinig na daoine na creagan. Chunnaic iad na solais a' dol sìos chun na mara.

"Tha iad a' lorg na h-uaimhe," arsa Seòras.

Ann an ceann dhà no trì mhionaidean chunnaic iad na solais a' dol a-steach dhan uaimh agus a' fàs cho fann, gus mu dheireadh nach robh càil ri fhaicinn ach dorchadas.

"Thèid sinn sìos às an dèidh," arsa Donaidh. "A Chatrìona agus Eilidh, mur eil sibhse ag iarraidh a dhol còmhla ruinn fuirichibh a-seo."

"Tha," ars Eilidh anns a' bhad. "Chan eil sinne airson a bhith air ar fàgail a-mach às a-nis. Dè do bheachd fhèin, a Chatrìona?"

"Chan eil," arsa Catrìona. Cha robh i cho cinnteach mu dheidhinn a dhol air adhart 's a bha Eilidh, ach 's e sin a b' fheàrr na bhith na h-aonar anns an dorchadas.

Nuair a ràinig iad beul na h-uaimhe cha robh bìog ri chluinntinn no solas ri fhaicinn. "Tha cho math dhuinn a dhol a-steach," arsa Donaidh 's e a' toirt a-mach na toirds. "Cluinnidh sinn iad a' tighinn co-dhiù. Tha Mac-Talla math anns an uaimh."

Lean an fheadhainn eile a-steach e. Bha fìor eagal air Catrìona a-nis agus bha greim teann aice air làmh Eilidh. Bha fàileadh na mara gu math làidir anns an uaimh ach cha duirt duine guth. An dèidh greiseag de choiseachd stad Donaidh agus thionndaidh e le mheur ri bhilean airson rabhadh a thoirt dhan fheadhainn eile a bhith sàmhach, agus chuir e dheth an toirds. An uairsin thionndaidh e air ais agus chluinneadh a' chlann na daoine a' bruidhinn. Chaidh iad air adhart gu faiceallach 's iad a' cumail cho faisg air a' bhalla 's a b' urrainn dhaibh. Cha b' fhada gus an do stad Donaidh a-rithist agus an turas seo chitheadh iad boillseadh

110

solais a' tighinn às an t-seòmar a bha am broinn na creige. Dh'èalaidh iad air adhart gus an cluinneadh iad dè bha na daoine ag ràdh. Nuair a bha iad faisg air doras an t-seòmair stad Donaidh a-rithist. Sheas iad an sin ag èisdeachd agus chuala iad cuideigin ag ràdh, "Gheibh sinn e an ath oidhch' agus bheir sinn a-null gu Tìr-Mòr e. Chan eil dùil ruinn an sin gu Dihaoine agus tha e nas sàbhailte an seo na air a' bhàta ann an acarsaid air Tìr-Mòr."

"Tha mi ag aontachadh le sin," arsa Jimmy.

Dh'aithnich a' chlann gur e Jimmy a bh' ann, oir 's e Beurla Ghlaschu a bh' aige agus 's e Sasannaich a bh' anns an fheadhainn eile.

"Thugainn. Thigibh a-nuas às a-sin 's gun tèid sinn air ais chun a' bhàta," ars an Sasannach a-rithist.

Thionndaidh a' chlann airson falbh ach 's ann a sheas Seòras air cas Eilidh agus leig i sgiamh aiste. Chuala na daoine seo agus dh'èigh fear, "Cò tha siud?"

Ruith a' chlann lem beatha ach ruith na fir às an dèidh.

"Stadaibh no loisgidh mi," dh'èigh Jimmy. Stad a' chlann far an robh iad agus chuir iad an làmhan os cionn an cinn mar a chunnaic iad daoine a' dèanamh air an telebhisean.

Thàinig na fir far an robh iad agus bha solas
na toirds a' goirteachadh sùilean na cloinne.
"'S e a' ghràisg ud a th' ann," ars an
Sasannach. "Bu chòir dha Alf a bhith air
dèanamh cinnteach gu robh iad am broinn
nan teantaichean."

Chunnaic a' chlann gunna ann an làmh
Jimmy.
"Dè nì sinn leotha?" arsa Jimmy.
"Feumaidh sinn faighinn cuidhteas iad," ars
an Sasannach. "Ceangailidh sinn an àirde
iad agus fàgaidh sinn anns a' bhothaig iad
a-nochd. Chì sinn dè nì sinn leotha
a-màireach."

Bha greim aig an triùir eile air
a' chloinn chun a-seo. Bha Catrìona agus
Eilidh a' rànail agus chaidh an ceathrar a
shlaodadh a-mach às an uaimh. Chaidh an
toirt a-null an tràigh chun a' chidhe, far an
deach an làmhan a cheangal air an cùlaibh.
An uairsin chaidh an toirt suas chun na
bothaig, far an deach an casan a cheangal,
agus chaidh am fàgail nan suidhe air an làr
an sin.
"Bithibh modhail. Chan fhaigh sibh air
teicheadh, oir bithidh cuideigin a' cumail sùil
air taobh a-muigh an dorais airson a chòrr
den oidhch'," ars an Sasannach 's e a' dol
a-mach an doras.

Cha do fhreagair a' chlann e.
Dè bha iad a' dol a dhèanamh a-nis?

12. FO GHLAIS

Bha a' chlann nan suidhe ag èisdeachd ris na daoine a' bruidhinn air taobh a-muigh na bothaig. Bha iad glaiste a-staigh gun teagamh, oir bha fear de na fir air padlock fhaighinn às a' gheòla — padlock a bha air bucas an sin.

Ann an ceann beagan ùine dh'fhalbh na fir ach dh'fhàg iad aon fhear a' cumail sùil air doras na bothaig bhon taobh a-muigh. Chuala a' chlann am fear a bha os cionn na h-obrach ghràinde seo ag ràdh ris an fhear a bha air fhàgail gun tigeadh cuideigin eile na àite aig ochd uairean sa mhadainn.

"Dè an uair a tha e?" arsa Seòras nuair a dh'fhalbh iad.

"Tha mi a' creidsinn gu bheil mu thrì uairean sa mhadainn," fhreagair Donaidh. "Chan urrainn dhomh m' uaireadair fhaicinn on tha mo làmhan ceangailte."

"Tha na ròpan cho teann," ars Eilidh. "Cha mhòr gu bheil faireachdainn sam bith air fhàgail na mo làmhan."

"Chan eil mo làmhan-sa cho dona ri mo chasan," arsa Seòras. "Ciamar a tha thusa, a Chatriona?"

"Tha mi ag iarraidh dhachaigh," fhreagair i, 's i gus briseadh oirre a' rànail a-rithist. "Tha mo làmhan goirt agus tha mi sgìth."

"Na bitheadh eagal ort. Gheibh sinn a-mach à seo," arsa Donaidh rithe.

Ach ciamar? Cha robh Donaidh air smaoineachadh air a-sin. Bha e dìreach a' feuchainn ri cofhurtachd a thoirt dhan fheadhainn eile. Ach 's iad a dh'fheumadh faighinn a-mach às mus tilleadh na daoine grànda ud a dh'iarraidh an stuth. Shuidh e a' smaoineachadh air a' chùis mus duirt e, "Tha cho math dhuinn feuchainn ri cadal ged nach bi e ro chofhurtail. 'S dòcha gum feum sinn a bhith an àirde fad na h-oidhche an ath oidhch' a-rithist."

Bha sin na b' fhasa a ràdh na dhèanamh, 's iad nan sìneadh air an làr chruaidh. 'S e Catrìona a fhuair air cadal an toiseach agus an uairsin thuit an fheadhainn eile nan cadal aon as dèidh aon ann an tighinn an latha. 'S e cadal an-fhoiseil a bh' aca uile, oir bha iad gu lèir

115

a' bruadrachadh air mar a thachair agus dè
bha dol a thachairt dhaibh. Bha iad
a' dùsgadh 's a' cadal mar sin gus an cuala
iad an doras a' fosgladh mu leth-uair an
dèidh naoi anns a' mhadainn. Thàinig fear
de na Sasannaich a-steach agus bucas aige na
làimh.

"Chan eil adhbhar dhuibh bàsachadh leis
an acras. Seo bhur bracaist," ars esan.

"Bheir sinn na ròpan bho ar làmhan."
Choimhead e air a chùlaibh agus dh'èigh e,
"John, Arthur, thigibh agus fuasglaibh na
ròpan aca."

Chaidh sin a dhèanamh agus shuidh
a' chlann a' suathadh an làmhan. Thòisich
Donaidh a' gearain gu robh na ròpan mu
chasan ro theann cuideachd agus nach robh
faireachdainn sam bith na dhà chois. Thuirt
an duine nach fhaodadh e na ròpan
fhuasgladh ach gun leigeadh e a-mach
beagan iad.

Nuair a bha a' chlann air beagan
faireachdainn fhaighinn air ais nan làmhan
thug na daoine am bracaist dhaibh —
sandwiches le ugh agus teatha mhath theth
a-mach à flasg. Bha a' chlann taingeil air
a-sin, oir bha iad gu math fuar anns
a' bhothaig. Chan e gu robh an latha cho
blàth ri sin a-muigh. Bha ceò dhùmhail ann

117

agus cha mhòr gum faiceadh duine fichead slat roimhe.

Ghabh iad am bracaist agus chaidh an ceangal an àirde a-rithist.

"Innis dhuinn ma tha na ròpan ro theann. Chan eil sinn airson gum fuiling sibh mar sin a-rithist. Faighnichidh mi dhan bhoss am faod sinn ur casan fhuasgladh 's gun urrainn dhuibh coiseachd timcheall. Tha e caran fuar a-staigh a-seo."

Dh'fhalbh na daoine a-mach agus bha an ceathrar glaiste am broinn na bothaig a-rithist. Nuair a chual' e an iuchair a' tighinn às a' ghlas a-rithist thuirt Seoras, "Bha an duine ud na bu nàdarraich na Jimmy agus am boss. Tha mo làmhan fhèin gu math nas fheàrr a-nis."

"Tha agus m' fheadhainn-sa," arsa Donaidh. "Bithidh e feumail dhuinn ma dh'fhaodas e na ròpan fhuasgladh bho ar casan, on bithidh e nas fhasa faighinn chun a' phreasa agus sgian fhaighinn a ghearras na ròpan eile."

"Tha thu ceart," arsa Seòras anns a' bhad. "Cuin a smaoinich thu air a-sin?"

"Chuimhnich mi tron oidhche gur ann an seo a bha a' chlann-nighean air am biadh agus na soithichean a ghlèidheadh," fhreagair Donaidh.

"Tha aon sgian bheag gheur ann gun

teagamh," ars Eilidh.

Thug seo misneachd dhaibh agus bha iad a-nis a' faireachdainn na b' fheàrr. "Uill, chan eil math dhuinn càil a dhèanamh gus am bi sinn cinnteach gu bheil iad gus a dhol a dh'iarraidh nan drugaichean. Chan eil math fios a bhith aca gu bheil sinn mu sgaoil," arsa Donaidh.

"Dè ma tha iad ag iarraidh faighinn cuidhteas sinn ron sin?" arsa Seòras.

"Cha do smaoinich mi air a-sin," fhreagair Donaidh. "Shaoilinn fhèin gum bitheadh iad airson an stuth fhaighinn air bòrd agus a bhith deiseil airson an t-eilean fhàgail mus tig iad gar h-iarraidh."

"Tha mi an dòchas gu bheil thu ceart," ars Eilidh.

"Mas e agus gur e sin a thachras, 's e seo a nì sinn," arsa Donaidh. "Fuiridh sinn gus am bi iad uile air falbh. Tha mi cinnteach gun tig iad uile a-nuas an seo agus gun cluinn sinn iad a' bruidhinn a-muigh an sin mus tèid iad a dh'iarraidh nan drugaichean. Leis a-sin bithidh fios againn gun do dh'fhalbh iad. A-nis tha mi an dòchas roimhe sin gum bi iad air na ròpan a thoirt bho ar casan agus gum bi tìde air a bhith againn air beagan gearraidh a dhèanamh air ròpan cuideigin. Nuair a dh'fhalbhas iad gheibh sinn air an

119

ròpa sin a ghearradh gu math sgiobalta agus nuair a bhitheas làmhan an duine sin saor gheibh e air ròpan an fheadhainn eile a ghearradh gu math luath."

"Fuirich mionaid ge-tà," arsa Seòras. "Dè ma dh'fhàgas iad cuideigin air taobh a-muigh na bothaig agus nach fhaigh sinn a-mach?"

"Feumaidh sinn smaoineachadh air a-sin," fhreagair Donaidh. "Dh'fheumadh iad ceathrar airson na pocannan a chur air falach agus tha mi a' creidsinn gum feum iad ceathrar airson an toirt air ais. Dh'fhaodadh gum fàg iad aon fhear an seo."

"Tha sinne air còignear fhaicinn ach chan eil sin ag ràdh nach eil barrachd ann," ars Eilidh.

"Tha sin ceart," arsa Seòras. "Ma tha cuideigin a-muigh chan urrainn dhuinn an uinneag bheag ud a bhriseadh no cluinnidh e sinn. Dè mu dheidhinn ròpa a chuir tarsainn air taobh a-staigh an dorais agus èigheach air a-steach?"

"Chan obraicheadh sin," arsa Donaidh. "Tha an doras a' fosgladh a-steach agus bhitheadh an ròpa san rathad air."

Shuidh iad a' bruidhinn air mar a gheibheadh iad a-mach airson an còrr den mhadainn gus an cuala iad ceumannan a' tighinn chun an dorais. B' e an duine a

thug am bracaist dhaibh a bh' ann a-rithist.
Thàinig e fhèin agus dithis eile a-steach.
Chaidh na ròpan fhuasgladh bho an làmhan
a-rithist ach chaidh an casan fhàgail
ceangailte. Choimhead a' chlann ris.
"Na bitheadh eagal oirbh," ars an duine anns
a' Bheurla. "Tha am boss ag ràdh gum faod
sinn ur casan fhuasgladh as dèidh ur biadh."
"Tha sin math," arsa Donaidh. "Cuin a tha
sibh a' dol gar leigeil mu sgaoil?"
"Chan eil sin airson greis fhathast," fhreagair
an duine. "'S e sin ma leigeas iad às sibh."
Thòisich Catrìona a' rànail.
"Na bi a' rànail," ars an duine rithe. "Tha mi
a' creidsinn gun leig iad às sibh nuair a tha
an stuth gu lèir air falbh às a-seo agus a tha
sinn uile sàbhailt'."

Thug e dhaibh bobhla brot an duine le
rola agus ìm. Bha an t-acras air a' chlann
agus cha robh iad fada ga ithe.

Chaidh am fàgail a-rithist len làmhan
ceangailte, ach bha cothrom gluasad aca
a-nis. Cha do rinn iad càil mu dheidhinn na
ròpan a gheàrradh, oir bha fios aca gun
tigeadh na daoine a-rithist len teatha.
Thòisich iad a' cluich I Spy, ach cha do mhair
an gèam sin barrachd air cairteal na
h-uarach, oir cha robh ùidh aig duine ann.
'S e Catrìona a thuirt, "Chan eil mi

121

a' faireachdainn coltach ri gèam. Chan eil
m' aire air an rud a th' ann."
"Tha mise a' faireachdainn mar sin
cuideachd," arsa Seòras. "Tha siud gu leòr
den seo."

Ann an ceann dhà no trì mhionaidean
nuair nach duirt duine facal, dh'fhaighnich
Catrìona, "Dè an seòrsa rudan a th' anns na
drugaichean agus dè nì iad ort?"
Sheall an triùir eile ri chèile. 'S e Donaidh a
fhreagair i. "Chan eil mi ro chinnteach, ach
innsidh mi dhut na chaidh innse dhomh mun
deidhinn anns an sgoil. 'S e rudan uabhasach
cunnartach a th' annta agus gabhaidh iad
greim air daoine gus nach dèan iad a' chùis
às an aonais. Tha daoine a tha ag obair orra
a' tionndadh gu goid agus olc eile airson
airgead fhaighinn airson an ceannach. Tha
feadhainn aca a tha a' cosg na ceudan not
anns an t-seachdain orra."
Ghabh an fheadhainn eile uabhas leis a-seo.
"Ciamar a tha dol aig daoine air sgur
dhiubh?" ars Eilidh.
'S e Donaidh a fhreagair a' cheist seo
cuideachd. "Feumaidh iad cuideachadh
iarraidh agus tha feadhainn a' sgur
uile-gu-lèir, ach tha feadhainn eile
a' dol air ais thuca agus tha na drugaichean
gam marbhadh. Tha iad cunnartach agus

tha daoine mar an fheadhainn seo a dèanamh fortan às na truaghain bhochd sin. Chunnaic sibh fhèin iad air an telebhisean."

"Cha bu chaomh leam fhèin am feuchainn," arsa Seòras.

"No mise," ars an triùir eile còmhla.

Chuir iad seachad an còrr den fheasgar a' bruidhinn air iomadh cuspair gus an robh àm na teatha ann.

13. MU SGAOIL

Mu leth uair an dèidh sia dh'fhosgail doras na bothaig a-rithist. Thàinig an triùir a bha a-staigh aig àm na dìnneir a-steach le biadh a-rithist. Fhuair a' chlann brota teth an toiseach agus an uairsin rolaichean le feòil fhuar. Cha robh na daoine ag ràdh càil fhad 's a bha a' chlann a' gabhail am biadh. Nuair a bha iad deiseil dh'fhaighnich Seòras, "Cuin a tha sibh a' dol gar leigeil às?"

"Nuair a bhitheas sinn deiseil," ars an duine a bha cho còmhraideach anns a' mhadainn. Cha duirt e a' chòrr agus chaidh a' chlann a cheangal an àirde a-rithist.

Nuair a bha iad air falbh thuirt Donaidh, "Feumaidh e bhith gu bheil rudeigin air aire. Cha robh e càil coltach ris mar a bha e anns a' mhadainn."

Dh'aontaich an fheadhainn eile leis agus thuirt Seòras, "Feumaidh e bhith gu bheil iad a' falbh a-nochd gun teagamh."

"Chan urrainn dhaibh anns a' cheò tha seo," arsa Eilidh.

"Bithidh innealan aca a chumas air a' chùrsa cheart iad," arsa Donaidh. "Bithidh e furasta gu leòr dhaibh falbh a-nochd, ceò ann no às. 'S dòcha gur e sin a tha iad ag iarraidh gus nach tèid am faicinn. Co-dhiù, tha cho math dhuinn an sgian fhaighinn. Càit a bheil i, Eilidh?"

"Tha i air an dàrna sgeilp anns a' phreasa," fhreagair i.

Dh'fhalbh Donaidh a-null agus fhuair e air am preasa fhosgladh le chùlaibh ris, oir bha a làmhan ceangailte air a chùlaibh. Lorg e an sgian bheag gheur far an do dh'innis Eilidh dha. Thog e i agus chaidh e a-null far an robh an fheadhainn eile.

"Siuthad, a Sheòrais, gearraidh mi an fheadhainn agadsa an toiseach. Eilidh, feumaidh tusa mo stiùireadh, oir chan fhaic mi dè tha mi a' dèanamh," arsa Donaidh.

Shuidh an dà bhalach air an làr agus an cùlaibh ri chèile.

"Feumaidh tu an sgian a thionndadh mas ann bho gu h-àrd a tha thu a' dol a ghearradh," ars Eilidh.

Rinn e sin agus thòisich e. Cha b' e obair fhurasta a bh' ann a bharrachd. Uair no dhà stad e a' leigeil anail, oir bha a làmhan agus a

125

ghàirdeanan a' fàs goirt. Bha e an sas anns an obair airson suas ri leth-uair a thìde mus robh làmhan Sheòrais saor. Shuidh Seòras a' suathadh a làmhan airson greiseag mus do thog e an sgian.

"Dèan ròpan na cloinn-nighean an toiseach," arsa Donaidh ris.

Thòisich Seòras a' gearradh nan ròpan agus an ceann còig mionaidean bha làmhan a h-uile duine saor.

"Chan eil againn air a-nis ach fuireach gus an cluinn sinn iad a' falbh," arsa Donaidh. "Ma dh'fhosgaileas duine an doras curibh ur làmhan air ar cùlaibh mar gum bitheadh iad ceangailte. Tha cho math dhuinn na tha seo de ròp fhalach."

Rinn iad sinn agus shuidh iad a' feitheamh. Mu dheich uairean chuala iad còmhradh air taobh a-muigh na bothaig. "Tha barrachd air dithis no triùir an siud," arsa Donaidh. "Tha mise dol a dh'èisdeachd."

Chaidh e a-null chun an dorais agus chuir e a chluais faisg air agus sheas e ag èisdeachd. Ann an ceann dhà no trì mhionaidean thuirt Seòras, "Dè tha iad ag ràdh?"

"Ist," fhreagair Donaidh gu feargach.

Chaidh Seòras a-null agus dh'fheuch e ri rudeigin fhaicinnn a-mach bho bhonn an

dorais. Chan fhaiceadh e càil ach feur. Thill e agus shuidh e còmhla ris a' chlann-nighean a-rithist.

"'S truagh gu bheil fiodh air an uinneag a tha air beulaibh na bothaig," ars esan gu h-ìosal ris a' chlann-nighean.

Ann an greiseag thill Donaidh agus thuirt e, "Tha iad air falbh agus air am fear a bha air taobh a-muigh na bothaig a thoirt leotha. Tha iad a' dol a dh'iarraidh nan drugaichean 's a' dol gan cur air bòrd, agus an uairsin tha iad a' tilleadh gar h-iarraidh."

"Dè fhad 's a bhitheas iad?" ars Eilidh.

"Tha mi a' creidsinn gum bi iad uair a thìde no dhà. Fuiridh sinn leth-uair a thìde gus am bi sinn cinnteach nach cluinn iad an uinneag a' briseadh agus an uairsin gheibh sinn a-mach às a-seo," fhreagair Donaidh.

"Ta, ciamar a gheibh sinn dhachaigh?" dh'fhaighnich Catrìona.

"Falbhaidh sinn leis a' gheòla aca agus fònaidh sinn gu na poilis," fhreagair Donaidh.

Ann an ceann leth-uair bhris Seòras agus Donaidh an uinneag. Shreap an ceathrar a-mach gu faiceallach, a' dèanamh cinnteach nach gearradh iad iad fhèin air a' ghlainne bhriste. Bha e gu math dorcha agus bha smùid uisge ann fhathast. Rinn iad an slighe gu crìoch a' bhaile agus chrùb iad air cùl a' ghàrraidh.

"Nì sinn ar slighe air ar socair sìos chun a' chidhe," arsa Donaidh.

Dh'fhalbh an ceathrar nan crùban a-rithist 's iad faiceallach gun fuaim a dhèanamh. Ach, dìreach mus do ràinig iad an cidhe, nach ann a leum dithis a-mach bho cùl cloich mhòir agus fhuair iad greim air a' cheathrar. Ghabh a' chlann eagal am beatha agus leig iad uile èigh asda. Bha iad air an glacadh a-rithist.

14 FAGAIL PHABAIGH

"Bithibh sàmhach — 's e Tònaidh agus Pòl a th' ann," arsa Tònaidh.

Cha b' urrainn dhan chlann seo a chreidsinn. Lean iad Tònaidh agus Pòl air ais a mheasg nan clach.

Aon uair 's gu robh a' chlann air faighinn seachad air an eagal a ghabh iad, dh'innis Tònaidh dhaibh gur e poilis a bh' annta bhon drugs squad agus gu robh iad air a bhith a' cumail sùil air na daoine ud airson greis. Bha fios aca gu robh iad a' coinneachadh ri bàta à Ceann a Deas Ameireaga a-muigh anns a' chuan. Bha eòlas aca air Jimmy cuideachd, ged nach robh iad air a ghlacadh le drugaichean chun a-seo.

Dh'fhaighnich Seòras dhaibh ciamar a fhuair iad chun an eilein gun na daoine am faicinn. Dh'innis Tònaidh dhaibh gun tàinig iad air tìr an oidhche roimhe agus gun do chuir iad seachad an latha air falach aig

ceann a tuath an eilein. Bha fhios aca
cuideachd gu robh a' chlann air an glasadh
anns a' bhothaig, agus bha Pòl dìreach a' dol
a dh'fhalbh suas gan leigeil mu sgaoil nuair a
nochd iad.

Dh'innis Donaidh dhaibh gu robh na
daoine air falbh a dh'iarraidh nan
drugaichean, gun do gheàrr iad na ròpan
agus gun do bhris iad an uinneag airson
faighinn a-mach.

Cha robh fios aig Tònaidh agus Pòl gu
robh na daoine a' falbh le na drugaichean an
oidhche sin idir, agus dh'fhaighnich iad dhan
chlann ciamar a bha fhios aca. Dh'innis
Donaidh na chuala e aig an doras dhaibh.
Dh'innis e gu robh dùil aca falbh eadar uair 's
a dhà sa mhadainn agus gum bitheadh iad
ann an loch iomallach — cha robh cuimhne
aige dè an t-ainm a bh' air — eadar Ullapul
agus an Caol an ath oidhche.

Thionndaidh Tònaidh ri Pòl anns
a' bhad 's a chuala e seo 's thuirt e, "A Phòil,
cuir fios chun na launch a tha thall anns
a' Chreagan air an rèidio. Can riutha a
thighinn a-nall an seo anns a' bhad agus
fuireach aig beul na h-acarsaid gus an cuir
sinn fios thuca. Can riutha gu bheil
gunnachan aig na daoine ud cuideachd."

An uairsin thionndaidh e ris a' chlann

131

agus thuirt e riutha a dhol suas air ais chun
a' bhaile mus fhàsadh cùisean ro
chunnartach dhaibh mun chidhe.

Rinn a' chlann mar a chaidh iarraidh
orra agus dh'fhalbh iad air ais suas gu crìoch
a' bhaile. Cha b' fhada gus an cual' iad fuaim
einnsean bàta a' tighinn na b' fhaisge agus an
uairsin a' stad. B' e an launch a bh' ann.

Ann am fichead mionaid eile chunnaic
iad solais a' tighinn a-nall an tràigh.
"Seo iad," arsa Donaidh. "Tha mi toilichte gu
bheil Tònaidh agus Pòl an seo, no cha
bhitheadh sinne idir air na poilis fhaighinn
an seo ann an tìde airson an glacadh."

Nuair a ràinig na daoine an cidhe
chaidh na pocannan a chur dhan gheòla agus
dh'fhalbh triùir innte. Dh'fhàg iad dithis air
a' chidhe. An uair a bha a' gheòla a-mach am
bàgh chunnaic a' chlann dà sholas toirds
a' tionndadh suas chun a' bhaile.

"Tha iad a' tighinn gar h-iarraidh," arsa
Seòras. "Tha mi a' creidsinn nach robh rùm
aca dhuinne agus dha na pocannan anns
a' gheòla."
"Tha mi an dòchas gum faigh Tònaidh agus
Pòl iad mus faic iad gu bheil sinne air falbh 's
mus leig iad fios chun an fheadhainn eile,"
ars Eilidh.

'S iad a fhuair. Bha na daoine dìreach

air a dhol seachad orra nuair a leum Tònaidh
agus Pòl a-mach air an cùlaibh agus gunna
am fear aca. Fhuair iad greim air na fir agus
bhrùth iad an gunnachan nan druim. Cha do
leig na fir fiù èigh asda leis an eagal. Bha na
glasan-làimh orra mus robh fios aca dè bha
tachairt.

Cha bu luaithe bha sin air tachairt na
chunnaic a' chlann an launch a' tighinn
a-steach am bàgh. Bha èigheach gu leòr anns
a' bhàgh agus gunnachan gan losgadh, ach
cha b' fhada gus an robh greim aig na poilis
air an fheadhainn a chaidh a-mach chun na
yacht leis na drugaichean.

Dh'fhalbh a' chlann sìos far an robh
Tònaidh agus Pòl. Chaidh geòla a chur air tìr
air an son. Chaidh Tònaidh agus Pòl agus an
dà phrìosanach a-mach chun na launch an
toiseach agus an uairsin thill a' gheòla airson
na cloinne. Bha iad air an t-slighe
dhachaigh.

Nuair a chaidh iad air tìr aig cidhe
a' Chreagain bha bhan nam poileas
a' feitheamh an sin airson na seòid a thoirt a
Steòrnabhagh. Dh'fhuirich Tònaidh agus Pòl
còmhla ris a' chlann agus thug iad gu taigh
Seòrais iad anns a' chàr.

Abair gun do ghabh Iain eagal nuair a
dh'fhosgail e an doras aig leth-uair an dèidh

dhà anns a' mhadainn agus a chunnaic e
a' chlann nan seasamh an sin còmhla ri dà
choigreach. Dh'innis Tònaidh dha gur e poilis
a bh' annta agus dh'fhaighnich e am faodadh
iad a thighinn a-steach. Cha duirt Iain càil
ach sheas e a dhàrna taobh agus chaidh iad
a-steach. Thuirt Tònaidh ris, "Chan eil iad
air a bhith ann an olc sam bith. 'S ann a tha
iad air a bhith nan cuideachadh mòr dhuinne.
An urrainn dhut fòn a chur gu athair agus
màthair Dhonaidh agus iarraidh orra a
thighinn a-nall."

Rinn Iain sin, agus ann an deich
mionaidean bha a-uile duine ann an cidsin
taigh Iain agus bha Tònaidh ag innse na
sgeulachd dhaibh. Nuair a bha e deiseil
thuirt e gum feumadh iadsan a dhol a
Steònabhagh ach gum fònadh iad an ath
latha.

Cho luath 's a dh'fhalbh iad thòisich
a' chlann ag innse mar a thachair dhaibh.
Bha am pàrantan ag èisdeachd le iongantas.

Nuair a bha iad deiseil 's e a thuirt Iain,
"'S math gu bheil sibh beò, ach nach sibh a
bha gòrach nach duirt guth ri Cailean mun
rud a chunnaic sibh."
Choimhead a' chlann ri chèile agus an uairsin
ris an làr 's cha duirt iad càil.
"Uill, 's math a rinn sibh co-dhiù. Tha mi

a' creidsinn gu robh sibh a' cluiche seòrsa de ghèam cops and robbers leotha," arsa Dòmhnall Iain a' gàireachdainn. "Thugainn gar leapannan. Gheibh sinn ur stuth a-màireach."

Bha Donaidh, Eilidh, an athair 's am màthair dìreach
a' falbh a-mach an doras nuair a thuirt Seòras ri athair, "Am faca sibh na cuileanan? A bheil iad deiseil airson an toirt dhachaigh?"
"Cha robh guth orra airson seachdain," ars Eilidh a' gàireachdainn.
"Tha mi a' creidsinn nach robh," ars Iain 's e fhèin a' gàireachdainn. "Cha tèid sibh a Phabaigh tuilleadh ach le cù-chaorach, a bhalachaibh."

Chaidil a' chlann gu meadhan-latha an ath latha. Cha mhòr gu robh Seòras agus Catrìona ach air a thighinn sìos an staidhre nuair a thàinig Donaidh agus Eilidh a-steach. "Tha Tònaidh dìreach air a bhith air a' fòn," arsa Donaidh. "Tha iad air an còrr den ghang a ghlacadh eadar an Caol agus Ullapul 's iad a' feitheamh ris an dà yacht. Bha e ag ràdh gu robh duais airgid air an t-slighe thugainn airson ar cuideachadh."

'S e a' chlann a bh' air an dòigh. Nach bu mhath a rinn iad.